D1056034

Die dreizehnte Fee erzählt vom Leben dreier Frauen, dreier Generationen, die aufeinander bezogen, auseinander hervorgegangen sind. Da ist Anna, die Jüngste, fast noch ein Kind, und Hanna, deren Mutter, die Vernünftige und Leidvolle, von ihrem Mann Verlassene. Sie muß auch für die Großmutter sorgen, die alte, eigensinnige Marie Mandelbaum. Drei Frauen, die einander eine zärtliche Hölle sind, deren Leben geprägt wurde von Männergeschichten und Krieg.

»Wenn das, was die Erzählerin Katja Behrens beschreibt, autobiographisch ist – und das ist es wohl, so sehr sind die Personen von innen her gekannt –, dann geht sie mit der genauen Kenntnis ihres Stoffes jedenfalls auf eine literarisch so kunstvolle Weise um, daß keinerlei vordergründige Ichbezogenheit zu spüren ist. Sie erzählt die Geschichte und Geschicke von drei Frauen aus drei Generationen nicht chronologisch... Sie schüttelt das Kaleidoskop ihrer Erinnerungen und läßt so immer neue Szenen von sinnlicher Dichte entstehen... Und den sagenhaften, aber bedeutsamen Hintergrund bildet das ferne jüdische Galizien der Großmutter.« (*Kyra Stromberg* / ›Saarbrücker Zeitung‹)

Humorvoll und elegisch zugleich, Katja Behrens hat mit ihrem ersten Roman ein Stück kollektiver Familiengeschichte – zwischen Weimarer Republik und Gegenwart – geschrieben.

Katja Behrens, 1942 in Berlin geboren, arbeitet seit 1978 freiberuflich. Sie wurde ausgezeichnet mit dem Förderpreis zum Ingeborg-Bachmann-Preis (1978), dem Förderpreis der Märkischen Kulturkonferenz (1978), dem Thaddäus-Troll-Preis (1982), dem Villa-Massimo-Stipendium (1986) und dem Stadtschreiber-Preis der Stadt Mainz (1992). Im *Fischer Taschenbuch Verlag* erschienen: ›Im Wasser tanzen. Ein Erzählzyklus‹ (Bd. 11137) und ihr Erzählungsband ›Die weiße Frau‹ (Bd. 11977). Bei *S. Fischer* erschien 1993 ›Salomo und die anderen‹.

Katja Behrens

Die dreizehnte Fee

Roman

Fischer Taschenbuch Verlag

Veröffentlicht im Fischer Taschenbuch Verlag GmbH,
Frankfurt am Main, Mai 1994

Lizenzausgabe mit freundlicher Genehmigung der Autorin

Druck und Bindung: Clausen & Bosse, Leck
Printed in Germany
ISBN 3-596-12185-x

Gedruckt auf chlor- und säurefreiem Papier

I
Am Anfang war Hanna

Friedliche Stille war in Hannas Zimmer, sommerliche Trägheit, Nachmittagsstille, ein Fenster geöffnet, ein Vorhang hin und wieder leicht gebläht, es war nur ein kleiner Wind, der kam und ging wie der Atem eines schlafenden Menschen, der Vorhang mit den lindgrünen Kringeln wölbte sich in das Zimmer hinein und erschlaffte und rundete sich wieder. Hanna las, auf dem Rücken liegend, nur bis zum Bauch zugedeckt, ein Bein über dem Federbett. Die Sommerstille, der Zimmerfriede, das Umblättern der Seiten und Hannas fahlweißer Leib mit den braunen Sommerflecken, der knabenhafte, der knochige Mutterleib, die dünnen Arme mit den roten Härchen und den runden Sprenkeln. Hanna las. Ihre Augen, die ganz klein waren hinter der Brille mit den starken Gläsern, folgten den Zeilen, bis sie unten angekommen waren und Hanna umblätterte. Kein Seitenblick. Hanna hatte Anna vergessen, Anna, die sich an die Mutter schmiegte in dem schmalen Bett, das Hannas Höhle war, in die Anna hineinkriechen durfte, wenn sie brav, die verschlossen wurde, wenn sie ungezogen gewesen war. Hanna las, und es kam ein Augenblick der vollkommenen Stille, der Vorhang atmete nicht mehr, an der Wand über dem Sofa spannte sich die gelbe Brücke über dem Flüßchen, und immer neues Wasser strömte langsam unter der Brücke hindurch. Warm war der Hannaleib, Hanna las, und Anna atmete den vertrauten Geruch, plötzlich war er da, der Hannageruch, wie die Luft vor einem Gewitter, Anna atmete ihn tief ein, ruhig und regelmäßig hoben und senkten sich Hannas kleine Brüste mit den großen rosa Knospen, die spitz herausragten aus den weichen weißen, von blauen Äderchen durchschimmerten Hügeln. Anna hielt den Atem an, der laut wurde in der Stille des Zimmers, öffnete den Mund, um ihn gedämpft herein- und hinauszulassen, aber er war immer noch unerträglich laut. Es war kein Friede mehr in dem Zimmer. Streng und verschlossen stand Hannas Sekretär, der Schlüssel abgezogen, drinnen, in kleinen braunen, von gedrechselten Säulen bewachten Schubladen, Hannas Schätze, die rote Korallenkette, die weiße Gemme. Hanna würde den Schlüssel suchen, in der Morgenrocktasche, in der Handtasche, immer war der Schlüssel weg, wenn sie aufschließen wollte. Hanna las, und Anna war das Atmen so schwer, sie wußte nicht warum, wußte nicht einmal, daß sie diese Brüste berühren, über den leicht gewölbten Hannabauch streicheln wollte, lag reglos an die Mutter geschmiegt, ließ heimlich den Atem heraus aus dem Mund, und beim Luftholen von neuem der Hannaduft, herb und schwermütig. Das Zimmer war nicht mehr da, das Sofa, die Brücke und das Flüßchen waren nicht mehr da, der Sekretär, er war nicht mehr da, Anna hatte nur noch einen Gedanken, der kein Gedanke war, nur noch einen körperlichen Gedanken. Immer wieder und immer wieder vergebens streckte sie die Hand aus nach den Mutterbrüsten, die Hand war gelähmt, der Arm war gelähmt, und drinnen zerrte und zog es, Hanna blätterte um, es zog und kam nicht los, es wollte hin und konnte nicht, der Arm fing an zu schreien.

Hanna hörte nichts. Hanna ließ das Buch auf den Bauch sinken, nahm die Brille ab und schloß die Augen. Der leidvoll geschwungene Mund, die sanft vorgeschobene Unterlippe – horchend sah Hannas Gesicht aus mit den geschlossenen Augen, als ob sie etwas hörte, das ihr weh tat, als ob sie nicht den Sommertag hörte, etwas anderes, etwas, das schmerzte, nicht Annas Sehnen, etwas anderes. Anna glaubte, sie schlafe und sei nun ganz fort, aber Hanna schlief nicht, Anna sah sie schlucken, sah, wie die Halsmuskeln sich bewegten, und schaute weg, wollte nichts mehr wissen von diesen Brüsten, die sich klein und unberührt auf dem gesprenkelten Leib hügelten. Hanna tastete nach der Brille, stieß an die Stehlampe, die ins Wanken geriet, tastete weiter, fand das grüne Kacheltischchen. Anna schloß die Augen, während Hanna die Brille aufsetzte, spürte, daß Hanna sich ihr zuwandte, sie ansah, spürte, wie ihre Wimpern zu flattern begannen, war sicher, Mutter wußte alles, war sofort bereit, beharrlich zu leugnen, wappnete sich mit Trotz, öffnete scheinheilig schlaftrunken die Augen einem Gesicht entgegen, das ganz anders aussah, als sie erwartet hatte, lächelnd, zärtlich, als ob nichts gewesen wäre, nur in der Stimme ein liebevoller kleiner Vorwurf: Jetzt siehst du aus wie Herzog.

Herzog war Jakob, und Jakob war fort.

Lange bevor Großmutter Mariechen es ihr gesagt hatte, wußte Anna, daß Jakob fort war, und wußte es noch lange nicht, nachdem Marie es ihr gesagt hatte, wartete hartnäckig, wartete eigensinnig, als ob das Warten allein ihn zurückbringen könnte. Am winterlich geschlossenen Fenster, im Rükken Marie, die mit einer Wärmflasche auf dem Bauch Liebesromane aus der Leihbücherei las, Junos rauchte und die Asche auf das Federbett fallen ließ, wartete Anna, fragte, wann Jakob kommen würde, hörte nicht das Ausweichende in Maries, in Hannas Antworten, wartete und merkte nicht, wie sie Jakobs Augen vergaß. Auf einmal hatte Jakob keine Augen mehr. Anna fragte seltener, wartete aber und merkte nicht, wie sie Jakobs Stimme vergaß. Marie hatte eine Stimme, eine scheppernde, wenn Anna das Zimmer verließ, ohne die Tür hinter sich zuzumachen, aber Jakob hatte schon bald keine Stimme mehr. Einmal, als sie das Warten vergessen hatte, sah Anna sein Gesicht – die Sprossen, die weiß und rissig waren, der Kitt abgebröckelt an manchen Stellen, die Scheiben verschliert, draußen der Ahornbaum und unten die Straße und Jakobs Gesicht wie eine Spiegelung im windgekräuselten Wasser eines Teiches. Anna hörte auf zu fragen und wartete im stillen weiter und merkte nicht, wie sie Jakobs Nase vergaß. Hanna hatte eine Nase, und Marie hatte eine, zwei sehr große Nasen, und wenn Anna sich zu Mariechen ans Bett setzte und sie an der Nase zupfte, drehte Marie den Kopf weg und sagte: Laß das gefälligst. Jakob hatte keine Nase mehr und keinen Mund, nur noch eine Unterlippe. Anna wartend am Fenster und Jakobs in die Welt hinausgeschobene Unterlippe, die sich auch langsam zurückzog. Seine Gestalt blieb etwas länger, die Art, wie er mit den Schultern lachte und seine zögernden Bewegungen, als ob er gegen einen Widerstand anginge. Manchmal in der Ferne sah Anna einen solchen Mann – es war aber immer ein anderer. Am längsten blieb der Daumen, ein dicker, zärtlicher Daumen, der sich einmal auf Annas schmeichelnden Finger gelegt und ihn gedrückt hatte.

Als Anna vergessen hatte, wie Jakob sprach und wie er aussah, erinnerte sie sich immer noch daran, wie er sich anfühlte. Darum wartete sie weiter, eigensinnig, aber schon hoffnungslos. An Jakobs Oberarm hatte sie manchmal ihren Kopf versteckt, ganz kurz, und das wollte sie behalten, wie sich die

Haut des Oberarms anfühlte, im Sommer, wenn er ein kurzärmeliges Hemd trug, dann war der Arm füllig und kräftig und glatt und warm. Und wie sich sein Hemd anfühlte, wenn sie die Backe an ihm rieb, auch das wollte sie behalten, flauschiger Stoff und darunter Jakob, und sein Nacken, der wuchtige Nacken warm, und sein Handrücken, die Finger, wenn sie darüber streichelte, die kleinen Härchen – als alles weg war von Jakob, wußten Annas Fingerspitzen immer noch, wie das war, über seine Hände zu streichen. Und ihre Backe kannte seine Hand noch, den Handteller, der sie so behutsam berührt hatte, daß noch ein wenig Luft geblieben war zwischen der Backe und der Hand. Aber da hatte Großmutter Marie ihr längst gesagt, daß Jakob nie wieder kommen würde, und sie wartete schon nicht mehr eigensinnig. Nur noch aus Gewohnheit wartete Anna mit der verblassenden Erinnerung, wie das war, auf Jakobs Schoß zu sitzen, geborgen in einem sommerlichen Baum, Jakobs ruhige Körperfülle, der Bauch, die Falten, die durch das Hemd, die Hose zu spüren waren, großer warmer Vaterbauch, den Anna jeden Tag ein bißchen mehr vergaß, wie die Haut seines Oberarms, wie die Härchen auf seinen Fingern. Bis es so war, als hätte es Jakob nie gegeben, und Anna nicht einmal mehr wußte, daß jemand fehlte.

Zärtlich prüfend schaute Hanna – Anna, nicht ganz sicher, ob sie nun ertappt worden war oder nicht, behielt das Mäuerchen in den Augen, bis Hanna das Federbett zurückschlug, die Beine in den geblümten, um die Waden herum ein wenig verkrumpelten Schlafanzughosen auf den Boden stellte und ihr den Rücken zukehrte, der zart pergamentfarben war und sommersprossig, lebenswarm. Anna sah hin und brauchte ihn nicht zu berühren, sah einfach das Wunder von Hannas atmendem Rücken und liebte die Mutter dahinter und fühlte dem Rücken die Trauer an, wollte streicheln, trösten, alles wieder gutmachen. Die Trauer schmerzte, als ob es ihre eigene wäre. Beschützen wollte Anna diesen hilflosen Rükken, niemand durfte Hanna etwas tun, immer wollte Anna für Hanna da sein, aber es war gut, Platz zu haben. Anna machte sich breit in dem Bett, in dem keine Hanna mehr war, aber noch ihre Wärme, und ihr Geruch nicht ganz verflogen, sah neugierig zu, wie die Mutterfrau sich anzog, den Büstenhalter von dem Stuhl nahm, über dem ihre Sachen hingen. Traurig starr schauten Hannas Augen, während sie die Einlagen in den Büstenhalter schob, sie zurechtlegte, die Einlagen waren aus Schaumgummi, und wenn man draufdrückte, blieb eine Delle. Dann das weiße Baumwollunterhemd, schon ein wenig ausgeleiert. Bereit, jeden Augenblick wegzusehen, beobachtete Anna, wie Hanna aus der Schlafanzughose stieg – die rötlich schimmernden Haare an den Beinen, der Strumpfhalter, die lose baumelnden Strapse. Vorsichtig, um keine Laufmasche zu machen, rollte Hanna einen Strumpf auf, biß sich auf die Unterlippe, während der Fuß in den Strumpf fuhr, Hannas angespanntes Gesicht und zwischen dem Unterhemd und den Strümpfen ein brennender Busch, verboten, dorthin zu schauen. Hanna griff nach dem Schlüpfer über der Stuhllehne, einen Augenblick lang der kleine weiße Hintern, dann die Baumwollunterhose mit den langen Beinen. Hanna atmete tief und preßte die Hand auf den Bauch. Mir ist ganz komisch im Magen. Ich muß was in mich reintun. Und zog das Hemdblusenkleid an und knöpfte, immer diesen konzentrierten, schmerzlichen Zug um den Mund, einen nach dem anderen langsam die Knöpfe zu.

In Mariechens Zimmer stand Hanna über Mariechens Bett gebeugt und blickte sich erschrocken nach Anna um. Sieh mal. Mariechens Kopf lag halb zur Seite geneigt auf dem Kissen. Der Mund stand weit offen, zahnlos, die grauen Zöpfe aufgelöst, die Wangen eingesunken, die Augen einen Spaltbreit offen, so daß das Weiß unter den Lidern hervorschaute. Kein Atem zu hören. Hanna und Anna starrten in das Loch in Mariechens Gesicht und hörten auf zu atmen und begannen sich zu fürchten. Anna mußte an die schwarze Bluse in Hannas Schrank denken. Wenn die Oma einmal stirbt, brauch ich was zum Anziehn. Marie hatte fast keine Lippen mehr, das Loch war tief, und die Tiefe zog, Marie war nur noch ein Brunnenloch, und Hanna und Anna am Rand sahen sich an, beide erstarrt, beide spürten ihr Herz klopfen in der Stille, und Anna dachte schuldbewußt an das weiße Hemd in der

Plastikhülle, das sie einmal, als Hanna und Marie nicht da waren, in der untersten Schublade von Maries Kommode entdeckt und herausgenommen hatte, obwohl sie genau wußte, daß sie das hätte nicht tun dürfen – steif hatte es ausgesehen, und das Papier hatte leise geknistert. Hanna nahm die Brille ab und beugte sich weiter vor, fragte mit kleiner Stimme: Mariechen? Der ratlose, der entsetzte Blick, den sie Anna zuwarf, die gestärkten Rüschen auf dem weißen Hemd, und noch einmal, drängender, Hannas Stimme: Mariechen? Ein Schnarchton, und das Loch schloß sich, und Mariechen fuhr hoch und blickte mit schlafblinden Augen. Hanna richtete sich auf, ihre Schultern senkten sich, und der Tag ging weiter.

Aus dem Wandschrank heraus roch es nach Marmelade und etwas Muffigem, das aus den dunklen Ecken in der Tiefe kam. Um die Zuckerdose herum weiße Krümelchen verstreut, klebrig das Marmeladenglas, und Mariechens Butter mit einem krakeligen M gekennzeichnet.

Die runzligen Backen noch vom Schlaf gerötet, las Mariechen *Heim und Welt*, während Hanna zwischen der Küche und Mariechens Zimmer hin und her eilte und mit der gleichen leise entnervten Stimme wie jeden Tag sagte: Steh doch wenigstens zum Essen auf. Woraufhin Marie gereizt über den Rand der Zeitung schaute: Du weißt genau, daß ich dann Rückenschmerzen bekomme. Und weiterlas und nach den Zigaretten auf dem Nachttischchen griff, sobald Hanna sich abgewandt hatte, aber Hanna, die Türklinke in der Hand, sah mit dem Rücken und drehte sich erbittert um. Rauch doch nicht auf leeren Magen. Marie spitzte patzig die Lippen und befeuchtete die Zigarette und zündete sie mit zusammengekniffenen Augen an. Ich rauche, wann ich will. Und Anna hatte keine Lust, den Tisch zu decken, keine Lust, sich den Zitronensaft selbst zu machen, und Hanna lief zwischen der Küche und Mariechens Zimmer hin und her und suchte den Kaffeewärmer und sagte hoffnungslos, aber doch unnachgiebig: Du hättest wenigstens bis nach dem Essen warten können, und betonte vorwurfsvoll das Wenigstens und trug den Kaffee herein und hatte den Untersetzer vergessen und stand auf, um ihn zu holen, und setzte sich und säbelte eine Scheibe

Brot ab, den Laib ungeschickt an die Brust gedrückt, und Mariechen schnellte vom Kissen hoch wie ein wütender Ganter und zischte: Nicht so dick! Und sank ins Kissen zurück und beobachtete, wie Hanna eine zweite, dünnere Scheibe abschnitt, und breitete ihre Serviette vor sich aus, und Hanna sprang auf, weil sie die Servietten für sich und Anna vergessen hatte, und kam zurück und setzte sich und stand auf, um Marie Kaffee einzugießen, und setzte sich und sprang auf. Um Gottes willen, ich glaub, ich hab, und rannte in die Küche, um nachzusehen, ob sie die Gasflamme angelassen hatte. Tür zu! brüllte Marie ihr nach und sah Anna an. Mach mal die, aber Hanna kam schon zurück und setzte sich erleichtert und strich Butter auf Mariechens Brot und reichte es ihr hinüber, und Mariechen warf einen Blick auf das Brot und klagte: Das ist aber dünn beschmiert. Und balancierte den Teller auf der Brust und hielt das Brot in der Hand, ohne hineinzubeißen, und fing an zu lächeln. Jetzt würde ich gerne Schwarzwälder Kirschtorte essen. Einen Augenblick lang war Mariechen versöhnt, befriedet, wunschlos: Schwarzwälder Kirschtorte. Dann biß sie in das Brot und bemerkte, wie Anna dabeisaß, beide Ellbogen auf den Tisch gestützt, den Kopf in der Hand. Flegel dich nicht so. Anna hob den Kopf und murrte. Ich flegel mich doch gar nicht. Aber Marie beharrte: So sitzt man nicht. Und trank einen Schluck Kaffee. Der ist ja kalt. Und stellte angewidert die Tasse weg. Und wieder mal zu schwach. Und Anna schob sich ein halbes Brot in den Mund, und Marie sagte: Stopf nicht. Und Hanna biß langsam, ganz langsam in ihr Brot, kaute langsam, ganz langsam mit nach innen gewandtem Blick, ein Moment der Stille, der Gemeinsamkeit, Mariechens Gesicht entspannte sich, wurde nachdenklich, lebte auf, Mariechen hatte Lust, ein Gespräch anzuknüpfen. Ich möchte bloß wissen, warum Aga Khan nach Bayreuth fährt. Anna schlürfte geräuschvoll den Rest ihres Zitronensaftes aus, es klapperte der Löffel, der noch im Glas steckte, und Marie kam aus Bayreuth zurück. Schlürf nicht so. Da entwischte ein Satz aus Annas Kopf, war draußen, bevor sie irgend etwas tun konnte, um ihn zurückzuhalten. Wulle Wulle Misjöh, wollnse mal mei Arschloch seh. Und Maries Augen wurden groß und schwarz, die Oma schwang

ein Bein aus dem Bett, wobei sie den schwankenden Teller mit dem angebissenen Brot festhielt, und sagte: Du unverschämtes Gör du! Und die Mutter kam mit trostlosem Gesicht aus fernen Fernen zurück und sagte: Das ist aber häßlich! Schwarzes Feuer in den Augen, stellte Marie das zweite Bein auf den Boden. Anna bekam Angst, sprang auf und rannte hinaus, über den Flur, verfolgt von der sich überschlagenden Stimme der Großmutter: Knall die Tür nicht so.
Schluchzend hängte Anna den Haken ein und klappte den Toilettendeckel hinunter und setzte sich laut heulend darauf.

Drinnen sank Marie ins Bett zurück, das Feuer in den Augen erlosch. Ein feines Früchtchen, deine Tochter. Ganz der Herr Vater.
Hannas Gesicht, eben noch stumm leidend angewidert, wurde lebendig, um zu verteidigen und zu überzeugen. Mariechen, das kannst du nicht sagen. Herzog hätte nie.
Mariechen hörte nicht hin. Pfui Teufel. So was Ordinäres.
Beharrlich setzte Hanna von neuem an. Es wäre Herzog nicht im Traum eingefallen.
Mariechen schnitt ihr das Wort ab. Doch. Erinner dich mal, wie er in der Helmstedter Straße. Mariechen stellte den Teller auf den Nachttisch und zündete sich eine Zigarette an.
Rauch doch nicht so viel, sagte Hanna mechanisch, obwohl sie schon nicht mehr im Zimmer war, in der Küche nach dem Kind schaute, an die Toilettentür klopfte, sich aber nicht entschließen konnte, wirklich aufzustehen und hinauszugehen.
Mariechen blies den Rauch aus und sagte: Paulus hätte nie.
Die Erinnerung an Paule machte ihr zärtliche Augen, die Zigarette glomm vor sich hin, die Asche türmte sich, Mariechen seufzte und schwieg taktvoll bei dem Gedanken an Herzogs schiefsitzende Krawatten und ewig rutschende Socken und merkte nicht, wie das Aschentürmchen abbrach und sachte auf das Laken fiel – eben aufgestanden, lungerte der Schwiegersohn schamlos gähnend in der Küche herum, zur Mittagszeit, wenn sie sich mit den schweren Einkaufstaschen abschleppte. Es war fünfzehn Jahre her, aber Marie wurde so wütend, als

wäre sie gerade eben keuchend die Treppe hochgestiegen, atemlos in der Küche angekommen, und da stand der Kerl im Morgenrock, mit zerwühltem Haar und riß den Mund weit auf. Hand vorn Mund! schnauzte Marie und war so sehr bei sich mit ihrer zeitlosen Wut, daß sie nichts dafür und nichts dagegen tun konnte, als ihr entfuhr, was sie aus Rücksicht auf die Tochter gerade nicht sagen wollte: Wie ein Kutscher.
Hanna, darin vertieft, Mariechens Argumente gegen Jakob im Geiste zu entkräften, hörte nicht hin oder tat, als hätte sie nichts gehört, zündete sich eine Zigarette an, die erste des Tages, blies, trübe vor sich hinblickend, den Rauch aus, wobei sie noch einräumte, daß Herzog wirklich ein bißchen drollig aussah, ein bißchen verschlampt, aber – Hanna rückte ihren Stuhl herum, der Mutter zu, und sagte sanft drängend: Du mußt doch zugeben, daß es anständig von ihm war, wie er in der Nazizeit.
Mariechen klopfte die Asche vom Laken, die Spannung zwischen Mutter und Tochter löste sich, das gemeinsame Erinnern an gemeinsam überstandene Zeiten, schlimme Zeiten, an die sie, für sich allein, entweder gar nicht oder nur qualvolle Momente lang zurückdachten, brachte sie einander nahe und ließ sie, endlich friedlich zusammengerückt, Erleichterung und so etwas wie Trost finden.
Wieder einmal saß Hanna mit Herzog und seiner Mutter am wachstuchbedeckten Küchentisch in Wiesbaden, Ende neununddreißig oder Anfang vierzig, Hanna wußte das nicht mehr so genau, aber sie hatte noch im Ohr, wie die Schwiegermutter *Judde* sagte, zur Erklärung, warum Wertheims von gegenüber abgeholt worden waren. Sie hatte geschwiegen, aber Herzog hatte den Arm um sie gelegt und entschlossen verkündet: Wenn sie das Hannschen holen, muß erst einer von denen dran glauben. Woraufhin die alte Anna gewohnheitsgemäß gemahnt hatte: Köbbsche, paß uff. Hanna sah sie noch vor sich, wie sie Krümel vom Wachstuch las, als Herzog darauf bestand, er würde mindestens einen abknallen, und wie sie schließlich den Kopf hob und sich nüchtern erkundigte, ob er denn einen Revolver besäße. Natürlich hatte er keinen Revolver, und natürlich hätte er sie sowieso nicht schützen können, aber Hanna war dennoch gerührt und

dankbar gewesen. Es machte nichts, daß der Ritter bloß einen Pappschild besaß. Was zählte, war nur, daß er sich vor sie gestellt hatte.
Das war anständig von ihm, findest du nicht auch? Hanna schaute zu der Mutter hinüber, die ihre Zigarette ausdrückte und an Schmittchen erinnerte, den netten Zigarettenfritzen, der sich bei ihr entschuldigt hatte wegen des Schildes, das er hatte aufstellen müssen wie andere Geschäftsleute auch, ob er wollte oder nicht, eines Tages waren SA-Männer damit erschienen. Noch immer verspürte Mariechen eine kleine Genugtuung, weil er ihr trotzdem Zigaretten verkauft hatte, Overstolz, später sogar ohne Marken. Auch hatte er sie weiterhin außerordentlich höflich gnädige Frau genannt.
Das war ein Lichtblick, sagte Mariechen, zu Hanna hinüberlächelnd, die aber schon woanders war, auf dem Weg zum Schiffbauerdamm, zusammen mit Mariechen, Anfang zweiundvierzig. Das war schon ziemlich brenzlig, sagte Hanna, und dann erinnerten sich Mutter und Tochter fast gleichzeitig, daß es ausgerechnet das Café Vaterland war, in dem Mariechen wartete, während Hanna ins Reichssippenamt ging, wo sie die Brille abnahm und in die Tasche steckte, bevor sie ein Zimmer betrat, in dem für sie Nebel war, verschwommen der Schreibtisch und der Mann dahinter und sein Gesicht nur ein heller Fleck, dem Hanna unsicher entgegenging, bis sie den Stuhl ertastete, auf dem sie zu sitzen hatte, gegenüber dem Gesicht, in dem sie nicht lesen konnte. Hanna hatte vergessen, warum sie anstelle der Mutter ins Reichssippenamt gegangen war, vermied es aber, Mariechen danach zu fragen, sparte aus, was in dem diesigen Zimmer gesprochen worden war, Mariechen der Prüfling, dort nicht mehr Maria, nicht mal mehr Miriam, nur noch Tana, wie alle, entweder Sara oder Tana, hätte den Stern tragen müssen, von Rechts wegen, und ins Kazett. Hanna verschonte sich und die Mutter mit diesen Dingen, sprach nur davon, wie ungemütlich es gewesen war, das Gesicht des Beamten nicht sehen zu können, ohne die Brille, die sie abgenommen hatte, weil man mit einer Brille doch immer jüdischer aussieht, und Mariechen erinnerte sich daran, wie lange Hanna fortgewesen war, und sagte mitfühlend: Armes Puppchen.

Mariechen hatte das Licht ausgemacht. Die Fliegen hörten augenblicklich auf zu brummen. Ein Flügel des Fensters stand offen, der Vorhang bauschte sich ins Zimmer und erschlaffte und bauschte sich wieder, ließ Mondlicht herein, schloß Mondlicht aus, machte es heller, dunkler, heller, während aus Hannas Zimmer ein Lichtstreifen stetig durch die Türritze schimmerte. In dem Spiegel über Mariechens Kommode ließ der atmende Vorhang das Fensterkreuz und ein Stückchen Wand auftauchen, verschwinden und wieder auftauchen. Im Wandschrank knackte es. Unbeweglich hing Annas Kleid auf dem Stuhl vor ihrem Bett. Ein Lichtschein huschte langsam die Schräge über dem Wandschrank hinauf, die Decke entlang und verschwand über der Tür zu Hannas Zimmer. Im Bett gegenüber regte sich Mariechen.
Ännchen? Ich sehe was, was du nicht siehst.
Ist es groß? fragte Anna, sofort bereit, das Spiel zu spielen.
Was Mariechen sah, war groß und nicht tot, aber auch nicht ganz lebendig und alt. Uralt. Immer weiter fragte Anna sich vor, voller Eifer auf der Suche nach der Lösung von Mariechens Rätsel, näherte sich, entfernte sich und näherte sich wieder. Was Mariechen sah, war ein Mann und hatte einen Bart. Einen langen langen Bart. Nichts Wichtigeres auf der Welt, als was Mariechen sah und Hanna sehen wollte. War ein Mann, aber kein Mensch und sehr sehr gefährlich. Vergeblich rieträtselte Anna, kam und kam nicht drauf und schlug, vom Gesirr einer Mücke abgelenkt, ungeduldig aufs Bett. Das Sirren hörte nur einen Augenblick auf und fing dann von neuem an. Anna steckte den Kopf unter die Decke, und da sah sie auf einmal, was Mariechen gesehen hatte: hoch über dunklen Tannen stand drohend der Rübezahl. Und Mariechen lachte leise.
Wieder lief ein Lichtstreifen über die Wandschräge, die Decke. Und gleich darauf noch einer und noch einer.
Gute Nacht, mein Puppchen, sagte Mariechen zärtlich. Wer zuerst einschläft, wird Kaiser.
Es wurde still und doch nicht still. Im Wandschrank bewegte sich etwas, auf dem Stuhl verwandelte sich etwas, blähte und wölbte sich. Anna wußte, es war nur ihr Kleid, und trotzdem – jemand war da, eine Gestalt, eine unförmige, unbekannte.

Aber Anna wollte doch Kaiser werden, schloß die Augen, horchte auf Mariechens Atemzüge, wurde träger und schwerer, immer schwerer, dachte schläfrig daran, daß sie den Moment des Einschlafens dieses Mal nicht verpassen wollte, war auf einmal wieder ganz wach, wollte den Übergang mitbekommen, dabeisein, wenn die Gedanken sich schlafen legen, war nun aber gar nicht mehr müde, konnte nicht schlafen, fing an, Schäfchen zu zählen, wollte doch Kaiser werden, unbedingt.

Aus tiefem Schlaf stürzte Anna in das Zimmer hinein, die Deckenlampe brannte, im grellen Licht die Großmutter, weit aus dem Bett gebeugt, bucklig über dem Eimer, laut würgend und stöhnend, hielt sich die aufgelösten grauen Zöpfe mit einer Hand zurück, damit sie nicht in den Eimer hingen. Aus ihrem Körper wollte es heraus und konnte nicht, der Leib mühte und spannte sich, war nur noch Leib, nicht mehr Mariechen, die hagere hochgewachsene mit der leichten Krümmung des Rückens und der großen Nase, die nicht schön war, weil sie eben nicht schön war, und den dunklen Augen, die liebevoll blicken konnten, kokett oder traurigbraun oder schwarzfunkelnd, wenn sie wütend war und kein Gesicht mehr hatte, nur noch Augen. Nicht mehr Mariechen war das, dieser würgende, pressende Leib in dem verrutschten Nachthemd, der sich in Wellen krümmte und zusammenzog, um auszustoßen, was nicht heraus wollte. Endlich ruckte Mariechens Kopf vor, es rülpste aus ihr heraus, und ein Schwall von Erbrochenem schwappte aus dem Mund in den Eimer. Mariechen spuckte, hob einen Augenblick erschöpft den Kopf, und Anna sah die Speichelfäden an ihrem Kinn und die Tränen in den stieren Augen, die nicht mehr blickten. Dann kam eine neue Welle, und Mariechen konnte gerade noch rechtzeitig den Kopf über den Eimer beugen.
So übergab Mariechen sich fast jede Nacht und sank dann matt ins Kissen zurück, während Hanna mit weit ausgestrecktem Arm und abgewandtem Gesicht den Eimer hinaustrug. Und wenn Hanna mit dem leeren Eimer zurückkam und ihn vor Mariechens Bett stellte, für den Fall, daß es von neuem losging, verwies sie vorwurfsvoll auf den Thunfisch,

den Mariechen am Abend zuvor gegessen hatte. Und Mariechen erwiderte patzig und gar nicht mehr matt: Das hat damit nichts zu tun.

Es war ein alter Streit zwischen Hanna und Marie, die, den Magenschmerzen, den Magengeschwüren zum Trotz, taub für Hannas stets gleichlautende Mahnung, sei doch vernünftig, Mariechen, in aller Ruhe genußvoll einen schaumigen Berg weißer Schlagsahne, einen langen fetten Aal oder ein Stück Buttercremetorte verzehrte und immer erst nach dem letzten Bissen mit kläglicher Miene verkündete, nun sei ihr furchtbar schlecht. Dann schlürfte sie ein Schnäpschen und konnte ein paar Stunden lang von Essen nichts mehr hören, lag, eine Wärmflasche auf dem Bauch, erschöpft im Bett und löste, hin und wieder leise aufstoßend, Kreuzworträtsel oder legte Patiencen, bis sich mit der nahenden Essenszeit allmählich wieder Gedanken an mögliche Genüsse einstellten, obwohl die alltäglichen Mahlzeiten, die doch meistens zu salzig oder nicht salzig genug, zu sauer oder viel zu süß waren, ihr wenig Lust bereiteten. Wenn es dann noch Krach gegeben, wenn man Marie beleidigt hatte, lehnte sie es ab, überhaupt etwas zu sich zu nehmen, erklärte schmallippig: Ich habe keinen Hunger. Und sah rauchend zu, wie Tochter und Enkelin aßen, ließ sich nicht beirren und schon gar nicht umstimmen, wenn die Tochter versöhnlich sagte, iß doch was, Mariechen. Aber kaum daß das Geschirr hinausgetragen war, folgte sie Hanna kleinlaut in die Küche und bat um ein trockenes Stückchen Brot. Oder aber sie wartete, von wütendem Hunger geplagt, gereizt darauf, daß das Essen fertig wurde, und wies dann, wenn es endlich soweit war, schmollend den Teller von sich. Jetzt habe ich keinen Hunger mehr. Manchmal ließ sie sich noch überreden, wenigstens das Fleisch zu kosten, das jedoch meist zu zäh war für Mariechen, die keine Zähne mehr hatte und ein Gebiß nicht tragen mochte, weil das zu unbequem war. Und außerdem mache ich mir nicht viel aus Essen. Aber eine Hummercremesuppe würde ich gerne. Ob Kempi wohl noch steht? fragte Mariechen dann lüstern sinnend. Für mein Leben gerne würde ich noch einmal. Oder Gänseleber. Nichts kam dem hingebungsvollen Ton gleich, mit dem Mariechen das Wort Gänseleber aussprach, nichts den zärtlich schimmernden Augen, wenn sie hinzufügte: Mit Äpfeln und Zwiebeln. Aber wenn es Hanna gelungen war, Gänseleber aufzutreiben, konnte es geschehen, daß Mariechen ungerührt behauptete: Daraus mache ich mir nichts. Habe ich mir nie was gemacht. Unberechenbar waren Mariechens Gelüste und wechselnd wie das Wetter. Was sie sich einmal genießerisch einverleibte, verursachte ihr ein andermal Übelkeit. Oder machte sie trauern. Strahlend mochte sie einen lang ersehnten Leckerbissen entgegennehmen und freudig zu essen beginnen, um dann mit erloschenen Augen den Teller wegzustellen. Immer hatte es früher ganz anders geschmeckt, kräftiger, milder, eben anders. Besser. In solchen Augenblicken rettete sich Mariechen in Erinnerungen an vergangene Gaumenfreuden, rühmte den Heringssalat ihrer Kindheit, den die Emma der Großeltern deftig, aber nicht derb anzurichten wußte, und dann sagte sie: Heute mache ich mir überhaupt nichts mehr aus Essen. Komisch nicht? Gedachte jedoch gleich darauf wollüstig der Trüffeln von *Mankowski*, die sie abends im Bett geschleckt hatte, wenn Paulus bei Traute Benecke war, hatte noch einmal den Geschmack der Bouillabaisse von Marseille auf der Zunge, damals mit Paulus, und die frischen Krebse am Hafen, wurde noch einmal einen kurzen Augenblick lang schwach bei dem verführerisch duftenden Hoppelpoppel, das niemand so zuzubereiten verstand wie Schultzke der Grafenbursche auf dem kleinen Spirituskocher, und kehrte am Ende zum Anfang zurück, nach Hause, zu dem runden, rotwangigen Apfel in der sommersprossigen Hand der Großmutter, die im langen hochgeschlossenen Moirékleid sehr aufrecht auf ihrem Platz am Fenster saß, das Strickzeug im Schoß, den Nacken mit dem verblaßten Knoten leicht gebeugt über dem Apfel, den sie mit einem weißen Taschentuch lange poliert hatte. Mariechen auf einem Schemel ihr zu Füßen, das saftige Knacken, wenn die Großmutter den ersten Biß tat, der träge Blick, mit dem sie kauend in den Garten hinausschaute, die Endlosigkeit, die es dauerte, bis sie den Apfel rundum abgegessen hatte und Mariechen den Krotzen reichte, ihr Strickzeug wieder aufnahm und Maschen zählte, während Mariechen zufrieden das Gehäuse knabberte, bis nur noch der Stiel übrig war.

Manchmal, nach dem Abendessen, in der Dämmerstunde, wenn der Laternenanzünder langsam die Straße hochkam, saß Mariechen, einen Strang Wolle zwischen den Armen, bei der Großmutter am Fenster, und die Großmutter wickelte und erzählte von früher, von der Stadt Lemberg in dem fernen Land Galizien, von lauen Schabbesabenden und Schmul-Leibele dem Schadchen, von großen Feuersbrünsten und alten Bräuchen. Nie vergaß Mariechen die wunderlichen Jampoler, die einen Mann mit neununddreißig Schlägen straften, wenn ans Licht der Welt gekommen war, daß er bloß ein Mädchen gezeugt. Während die Finger der Großmutter unermüdlich wickelten und das Knäuel immer dicker und runder wurde, erinnerte sie sich der Zeit, als sie Braut war, a Neigierige, die sehn wollte den Chossen vor der Chassene, und schlich sich zur Tür, um a Blicke zu tun durchs Schlüsselloch auf den Chossen, der gekommen war mit dem Schadchen, zu reden mit dem Tate, er ruhe in Frieden. Und wenn die Großmutter dann erzählte, wie die Mame sie am Schlüsselloch erwischt, sie a Chonte und Chazufe genannt und ihr a Schmier gegeben hatte, dann wickelte sie langsamer und seufzte, Oiwai, haben sich geändert die Zeiten.

Er hatte ihr nicht gefallen, der Moischele mit seinem kümmerlichen Bart, wie er geduckt dasaß in seinem braunen Kaftan, aber die Eltern hatten ihn für sie bestimmt, und sie hatte sich zur Mikwe führen und das Haar abschneiden lassen, hatte weinend die Ketubba unterzeichnet, erstarrt unter der Chupe gestanden und sich dann gefügt wie andere auch, war ihrem Mann in die Fremde gefolgt, hatte neun Kinder geboren, von denen vier gestorben waren, und als die älteste Tochter sechzehn Jahre alt geworden war, hatte sie dafür gesorgt, daß ihr ein ordentlicher Mann bestimmt wurde, hatte geduldet, daß das Brautpaar sich schon vor der Hochzeit sah, hatte ertragen, daß Sarale sich in ihrem Zimmer einschloß und nichts mehr essen wollte, hatte mit Seufzen und Oiwai an die Tür geklopft und Saraleben gefleht, iß doch was, hatte ihre orme narrsche Liebe bedauert, mitfühlend aber unerbittlich, wus weis dos Kind fin Leibn. Sarale hatte sich gefügt, weinend die Ketubba unterzeichnet und sich von der Mame trösten lassen, so wie diese einst von ihrer Mame getröstet worden war. Dann aber war Sarale mit ihrem eigenen roten Haar umhergelaufen, hatte Klavierspielen gelernt und Französisch und nicht mehr Toches gesagt, sondern Derrière und nicht mehr Oiwai, sondern Mon dieu. Am Ende war es gekommen, wie es hatte kommen müssen: sie hatte den Scheidebrief von ihrem Mann verlangt und ein Kind von ihrem Vetter geboren. Die Mame hatte am Fenster gesessen und gehäkelt und gejammert, Oiwai, die Schand, und als es aus gewesen war mit dem Vetter, hatte der Onkel der Sara einen Hutladen in Berlin gekauft, und die Mame hatte das Mamserte zu sich genommen.

Wenn das Mamserte später an seine Kindheit zurückdachte, dann sah es die Großmutter dunkel und aufrecht am Erkerfenster und den Großvater, wie er mit unendlich langem Bart und unendlich müdem Schritt das Zimmer betrat, verdrossen im schwarzen Gehrock, sich nach dem Wetter draußen erkundigte. Verlorengegangen die Antworten der Großmutter, der Nebel, die Wintersonne, der Regen – überdeutlich aber der Moment, in dem ihre Finger verharrten, der Kopf sich zum Fenster wandte und der Großvater sich ächzend in seinem Sessel niederließ und Nebbich sagte.

Wenn Mariechen von ihrer Kindheit sprach, war da die gottähnliche Ferne des Großonkels, unter dessen Dach sie alle gelebt hatten, der weite Garten mit den Obstbäumen, in dem das Mamserte nicht spielen durfte, nicht spielen und den Johannisbeeren fernbleiben, den Himbeeren, den Pflaumen, und keinen Apfel pflücken, hörst du, auch nicht vom Boden aufheben. Es war da der Geruch von Emmas frisch gestärkter Schürze und die Lehren Tante Dorles, die, das böse Beispiel ihrer älteren Schwester vor Augen, eisern auf Anstand hielt. Tyrannisch im Seidenkleid, mit einem Hauch von Veilchenduft und schmaler Jungmädchentaille, brachte sie Mariechen bei, wie eine Dame sich zu betragen hat, übte Vettern und Basen, ganz besonders aber Dienstmädchen und Kutschern gegenüber hamburgische Zurückhaltung, sagte jüngferlich o Gott, ogottogott oder auch i gitt, nannte Mariechen niemals Asess ponim, wie das der Großvater zuweilen tat, sondern dummes oder schamloses oder freches Gör, drohte ihr niemals a Schmier an, sondern stets eine Maulschelle oder eine

Backpfeife und achtete darauf, daß niemand ihr irgend etwas nachsagen konnte.
Wenn Mariechen später an Tante Dorle zurückdachte, dann sah sie ein schönes, hochmütiges Wesen, zum Ausgehen gekleidet, nicht mehr ansprechbar, ganz damit beschäftigt, einen sauber gewaschenen Backstein umständlich in knisterndes braunes Packpapier einzuwickeln, sah die um die Lippen spielende Zunge, während die Finger das Päckchen sorgfältig verschnürten, Knoten schlangen und zuletzt eine Schlaufe, und konnte noch viele Jahre später nicht ohne Neid an den Augenblick denken, wenn Dorle nach einem flüchtigen Adieu vergnügt aus dem Haus ging, das Päckchen unterm Arm, ein achtbares Mädchen, das sich nicht grundlos auf der Straße blicken ließ.
Wenn Mariechen Hanna später von ihrer Kindheit erzählte, gab es auch Geschichten, die nicht weh taten, Saras Diamantenhändler brachte Bananenstauden aus Südafrika mit, an Kaisers Geburtstag wurde Dorle von einem Pferd getreten, aber sogar hinter den Worten dieser schmerzlosen Geschichten verbarg sich noch etwas, das nicht harmlos war, etwas Unheimliches und Bedrohliches, niemals greifbar, immer nur spürbar, ein merkwürdig drückendes Klima wie tief in einem Wald bei einem brackigen Wasser, wo das Atmen schwer wird und die Stimme gepreßt, ein unklares Schuldgefühl, das so unmerklich auf Hanna übergriff wie die Empörung über die Behandlung, die Mariechen erlitten, im Haus die Griene, wus isse darr, die Bohnenstange, auf der Straße der Rotkopf, die Ecke brennt, Feuerwehr kommt angerennt. Mit dem Aschenputtel, das ihre melancholischäugige Mutter einst gewesen, litt Hanna, durchlitt eine längst vergangene Kindheit, als wäre es ihre eigene, und lernte sie hassen, die ganze hochmütig geduckte Mischpoke, besonders Tante Dora, die, wie Mariechen es ausdrückte, ihr *Mütchen gekühlt* hatte an dem nur zehn Jahre jüngeren Schwesterkind, das so bockig, so verzweifelt widerspenstig gewesen war wie Jane, das Bettelkind und undankbare Geschöpf im Haus der Tante, Jane Eyre, die Waise aus Lowood, Mariechens große Rolle als Bühnenkünstlerin, die sie dem Oiwai der Großmutter zum Trotz geworden war, nach dem Tode des Großvaters. Der hatte die

Augen in Wien zugemacht, wohin er gereist war, sein Dorle zu besuchen, welches er an den betuchten Börsenmakler Samuel Kohn glücklich verheiratet hatte. Der Börsenmakler aber hatte in einem Anfall von Jähzorn seiner zarten Blume vor seinen Augen einen nassen Scheuerlappen um die Ohren geschlagen. Den Großvater hatte der Schlag getroffen, und die Großmutter hatte Hamburg verlassen, ihrem Mann folgen müssen, im Tode wie im Leben. Eine Frau, hatte der Schwager gesagt, gehört dahin, wo ihr Mann begraben liegt. Die Großmutter hatte sich gefügt, war nach Wien gegangen und hatte Mariechen mitgenommen. Da war aus dem Mamserte Miriam Mandelbaum die Künstlerin Johanna Johannsen geworden, die Jane Eyre spielte, die Jane war, ein Aschenputtel, aber kein sanftes, schönes, eines, an der die Tante alles getan hatte, um es gefügig, gehorsam zu machen, allein es war unverbesserlich gewesen. Möglich, daß ich sie nicht zu erziehen verstand, sagte die Tante auf der Bühne, die ganz anders aussah als Dora und die Mariechen doch über die Aufführung hinaus haßte, möglich, daß ich es nicht wollte, ich weiß nur, daß dieses Geschöpf wie Schierling auf gesunder Weide hier zwischen uns aufwuchs.
Wenn der Vorhang fiel, nachdem das Schierlingskind die von innerer Schönheit durchglühte Braut des rüden, aber rechtschaffenen Lord Rowland Rochester geworden war und, über sich hinausgewachsen, der Tante sanft verziehen hatte, nahm Mariechen rauschenden Beifall spröde entgegen, zog sich mit bescheidenem Hochmut in ihre Garderobe zurück, um sich abzuschminken und umzukleiden und wieder die Griene zu werden, wus isse darr, die Bohnenstange, auch wenn das außer ihr niemand mehr wußte und sogar sie selbst es manchmal vergaß, besonders wenn sie den Neid der anderen spürte auf die liebestrunkenen Blumensträuße eines Grafen von Finckenstein, Rittmeister der 3. Schwadron – Rüdiger, jung, groß, blond und betört von dieser herben, stolzen Mädchengestalt, die nicht nach Geld noch Gut trachtete, Jane Eyre oder Johanna Johannsen und später auch ein wenig Miriam Mandelbaum.
Wohl war der Graf verarmt, doch er war ein Graf, und er war Offizier, und er hatte einen Burschen (das war Schultzke mit

dem Hoppelpoppel), und er lud die kleine Mandelbaum zu Schlittenpartien an weißen Winterabenden. Im Arm des Mannes, die Hände warm im Muff, das Knirschen der Kufen im Schnee und das gleichmäßige Traben der dampfenden Pferde. Und die Griene mit der großen Nase und dem großen Mund, der auch nicht schön war, weil eben nur ein kleiner schön war, schenkte, was sie zu schenken hatte, nur ein bißchen verliebt, aber gerührt und geehrt ob der Werbung. Und verließ die Bühne, die Stadt, den Grafen: geschwängert.
Wenn das mit Rüdiger nicht dazwischengekommen wäre, sagte Hanna später, viel später, als es notwendig wurde, Anna durch das Beispiel der Großmutter abzuschrecken, wäre vielleicht noch was geworden aus Mariechen.
Fräulein Mandelbaum fuhr nach Berlin, mietete ein möbliertes Zimmer, suchte eine Stellung als Sekretärin und brachte heimlich das Kind zur Welt, tippte Briefe und saß weinend im Garten, im Grase lag schlummernd ihr Kind: Rüdiger. Und weil der Vater ein armer Graf war, mußte er Olga Meier heiraten, deren Vater mit Kaffee – keine Feier ohne Meier – steinreich geworden war.
Drei Jahre vergingen, und schon saß Mariechen wieder weinend im Garten, im Arme ein zweites Kind: Hanna mit roten Haaren und Sommersprossen und bald auch mit einer großen Nase. Der Vater, Paul Feuerbach, bloß ein kleiner Zeitungsschreiber, aber der erste Mensch in Maries Leben, der ihr Zuneigung entgegenbrachte, erkannte Hanna an, wenn er auch ein Leben lang an einem kleinen Zweifel litt, ob sie denn wirklich sein Kind sei, sagte sich auch, da er seiner Familie nicht die gleiche Rücksicht schuldete wie Rüdiger Graf von Finckenstein, nicht los von Marie, sondern sorgte dafür, daß Rüdiger aufs Land kam zu guten Leuten und Hanna in Pflege. Mariechen aber liebte den Paule noch über seinen Tod hinaus und wechselte, selbst als sie längst zurückgezogen in ihrer Bettfestung lebte, noch immer Briefe mit seiner letzten Geliebten in Berlin.

Die Sonne schien, Schwärme von Staubkörnchen tanzten in den Strahlen, die in langen Streifen schräg durch die Dachluke auf den staubigen Bretterboden fielen, umspielten einander,

schwebten in die Strahlen hinein, aus den Strahlen heraus in das Dämmerlicht des Speichers. Es roch trocken nach altem Holz, die Bohlen knarrten. Anna mußte leise auftreten, um nichts zu wecken, was in den dunklen Ecken schlief, leise und vorsichtig. Etwas Verstecktes hinter den düsterstillen Möbeln wollte nicht gestört werden, konnte jeden Augenblick hervorbrechen, über Anna herfallen, keine Zeit mehr zu schreien. Ängstlich die Haut, die Härchen aufgestellt. Nicht überrumpelt werden, noch laufen können, die Tür erreichen, gleich hinter der Tür die andere, die helle, sichere Alltagswelt, über den Korridor laufen, zu Mariechen ans Bett.
Nimm dich mal ein bißchen zusammen, sagte Hanna, die gar nicht da, die weit weg war, in ihrem Zimmer, wo sie Nachhilfeunterricht gab. Und Anna ging weiter, vorbei an der Insel mit Hannaundmaries Sachen, der Stehlampe, deren Schirm kläglich baumelte, dem halboffenem Maul der Truhe, den Koffern, den verdellten, angestoßenen Pappkoffern, die Hannaundmarie auf ihrer langen Reise von Früher nach Jetzt mit sich herumgetragen hatten. Der Rest auf dem großen weiten Speicher gehörte Meisters und war verboten – der Schrank, den Anna einmal heimlich geöffnet und dann enttäuscht wieder geschlossen hatte, bloß olle Mäntel, die griesgrämig nach Mottenkugeln rochen; die Puppenstube, mit der die alte Frau Meister gespielt haben sollte, was Anna aber nicht glaubte, weil die niemals ein Kind gewesen sein konnte mit ihrem grauen Dutt und dem kaltblauen Blick, die wunderbare Puppenstube, die offen dastand auf einem braunen Schränkchen, mit einer Küche, in der es einen weißen Herd gab, und auf dem Herd ein bauchiger kleiner Wasserkessel und über dem Herd ein Regal und in dem Regal Tellerchen und Töpfchen, und das Zimmer mit der Rosentapete, dem runden Tisch, der Stehlampe und den niedlichen Stühlchen, alles offen vor Anna und doch nicht für Anna, so unerreichbar wie das, was abends in der Waldstraße hinter den warm erleuchteten Fenstern war, an Winterabenden, wenn es still war und dunkel auf der Straße und Anna sich in das Zimmer zu den Menschen hinter dem Fenster wünschte, ein Heimweh fühlte, als ob dort drinnen verlorenes Zuhause wäre.
Zögernd stand Anna am Fuß der Treppe, die steil nach oben

führte, hinauf zum Trockenspeicher, wo die rettende Tür nach draußen weit sein würde, dazwischen die Treppe, die Anna niemals schnell genug würde hinunterstürzen können. Langsam stieg Anna die Stufen hinauf, der muffige Geruch, das Dämmerlicht, die Speicherstille, das laute Klopfen des Herzens. Hanna gebückt, angestrengt das Gesicht, rückwärts die Treppe hinauf mit dem Wäschekorb, Anna lustlos, sonst nichts – mit der Mutter zusammen gab es das stumm Beobachtende, das ringsum Lauernde nicht. Maul nicht so, sagte Hanna, wenn sie oben den Korb absetzten. Das welke Rascheln, wenn Hanna an den Tabak stieß, den Meisters zum Trocknen aufgehängt hatten, lange braune Blätter mit dicken Rippen, und Hannas aufgeschreckte Stimme: Huch. Und dann das iiiii, wenn eine Klammer runtergefallen war und sie sich danach bückte, iiii, Ännchen komm mal her, guck mal, was das ist. Ist das ein Tier? Ich kann es nicht sehen. Der Ekel und das Mißtrauen in Hannas Gesicht, die tropfende Wäsche und das Klock Klock der Tropfen in den Wannen.
Oben angekommen, stellte sich Anna in das Sonnenviereck der Dachluke und schaute hinaus, unten Hanna, die Nachhilfeunterricht gab, in ihrem Zimmer, und Marie in ihrem Bett, Kreuzworträtsel lösend. Anna und Julie flüsternd, obwohl Hanna Stunde gab und Marie im Bett war, flüsternd die Speichertür geöffnet, hindurchgeschlüpft und hinter sich zugezogen, leise die Treppe hochgestiegen, Anna voran. Oben unter der Luke auf dem schmutzigen Boden in der Stille des Speichers wollte Anna und wußte nicht was und wußte es doch, öffnete sich, öffnete weit, was geschlossen zu halten war. So sitzt ein Mädchen nicht, sagte Marie. Setz dich gefälligst anständig hin. Frag nicht so dämlich. Gehört sich nicht. Schamloses Gör. Verbotenes Spiel, auch wenn es noch gar nicht verboten worden war, mußte es heimlich gespielt werden, nie nie nie durften Hannaundmarie dahinterkommen. Leugnen, selbst am Marterpfahl würde Anna leugnen, pfeildurchbohrt, feuergebrannt, niemals gestehen, kein Wort über die Lippen, alle Qualen standhaft ertragen, Julie nicht verraten und nicht das Spiel, das sich wie von selbst erfunden hatte, krank die eine, heilend die andere. Krank wollte Anna sein, Julie mußte heilen. Immer ich, schmollte Julie, wollte selber geheilt wer-

den, aber Anna war stärker und schwer krank, viel kränker als Julie, und wollte und wußte nicht was und wußte es doch, qualvolles Wollen über das Widerstreben in Julies Gesicht hinweg, über jedes Verbot und jede Strafe hinaus, alles gleich, das Büßen, das Sterben, alles gleich, später, jetzt nur das Jetzt, und wenn Julie keine Lust hatte, versprach Anna etwas, alles, bloß heilen sollte sie. Ich heile dich dann auch, lockte Anna, vergaß sich über der Süße, die ohne Namen war, wie alles ohne Namen war, und auf einmal hatte sie keine Lust mehr, der Speicher war wieder der Speicher, es roch faulig nach feuchtem Holz. Anna wollte raus, runter auf die Straße. Schnell die Treppe hinunter, vor der Speichertür einen Augenblick horchen, rausschlüpfen, den Haken wieder einhängen und mit dem festen Vorsatz, so etwas nie wieder zu tun, aus dem Haus, auf die Straße, in den Sonnentag.

Hast du dich auch unten herum gewaschen?
Hanna mit dem feinen Gehör für bestimmte Lügen, Ausreden, Ausflüchte hörte augenblicklich den falschen Ton heraus und schaute Anna traurig an, mach mir doch nichts vor, befühlte den Waschlappen, der ist ja noch trocken. Müde wurde Hannas Gesicht, erloschen die Augen hinter den Brillengläsern, der schmerzliche Zug um den Mund hervorgetreten.
Eifrig beteuerte Anna, doch ich habe, ganz bestimmt, vergaß darüber, daß sie gar nicht hatte, glaubte selber, sie hätte, log so überzeugt, daß Hanna unsicher wurde und, wenn auch ungläubig, den anderen, den von Anna vorausschauend befeuchteten Waschlappen befühlte. Trotzig triumphierend sah Anna die Mutter an, dachte, nun sei es vorüber, duckte sich dann aber schnell unter Hannas entsetzter Frage: Mit dem Gesichtslappen? Fühlte sich gestellt, in die Enge getrieben, in die Ecke gedrängt, hoffte, da noch rauszukommen, irgendwie, nahm sich vor, das nächste Mal beide Waschlappen, versuchte es mit einem Ausfall, doch Hanna ließ sie nicht entschlüpfen.
Hast du oder hast du nicht? Ich habe. Dann hast du also? Nein, das habe ich nicht.
Hannas Hand legte sich besänftigend auf den Magen. Mach es mir doch nicht so schwer. Schuldbeladen stand Anna in der

Ecke, konnte Hanna nicht mehr ansehen, schaute auf den Mülleimer, auf dem Schippe und Besen lagen und dahinter der Staubsauger, die Schnur verheddert, der Stecker – Anna betrachtete den Stecker, während Hanna, plötzlich hellsichtig geworden, das Handtuch befühlte. Das ist ja ganz trokken. Endgültig in die Enge getrieben, starrte Anna weiter auf den Stecker, schwieg beschämt, als Hanna nach einer Weile trostlos feststellte: Das ist aber häßlich von dir. Versuchte sich zu versperren gegen Hannas leise, monotone Stimme, hörte aber trotzdem alles. Später – Mann – riechen. Siehst du das nicht ein? Das mußt du doch einsehen. Bockig, mit Tränen in den Augen schwieg Anna, wollte einsehen und konnte nicht, wußte, sie würde das nächste Mal wieder, aber dann auch an das Handtuch denken. Hannas drängende, bedrängende Stimme: Hast du denn keinen Anstand im Leib? Hannas Schmerzensgesicht über den Spülstein gebeugt. Anna wutweinend aus der Küche, laut heulend über den Flur, zu Mariechen ans Bett, an ihre Brust geflüchtet, die Backe auf ihrem Nachthemd, aus dem heraus es leicht medizinisch roch. Mariechens brüchige Stimme: Was ist denn, mein Puppchen? Der flüchtige Moderduft und die langen Finger, die Anna liebevoll den Kopf kraulten, über die Arme strichen: Was ist denn, min Deern?

Fast beruhigt nahm Anna das Taschentuch, das Mariechen ihr bot, schneuzte sich kräftig und legte den Kopf wieder auf Mariechens Brust, gestillt, gedankenlos dem eilig aufsteigenden Rauch der im Aschenbecher glimmenden Zigarette folgend, der Flucht der blaugrauen Schwaden, Kringel, Schwaden, immer neuen. Im Flur Hannas gehetzter Schritt. In der Tür Hanna, die, noch nicht ganz im Zimmer, stehenblieb.

Mariechen, das ist mir aber gar nicht recht. Sie hat. Ein Blick auf die Zigarette. Du rauchst ja schon wieder. Du hast doch schon sechs. Woher hast du?

Anna und Mariechen trotzig aneinandergeschmiegt, gemeinsam stark, gemeinsam Hanna zuschauend, wie sie entschlossen energisch zu Maries Tischchen ging, den Aschenbecher nahm, dicht vor die Augen hielt, die Kippen zählte.

Unvernünftig. Wie kann man so unvernünftig. Sag doch mal selbst.

Mariechen regte sich, schob Anna weg, wirst mir zu schwer. Anna mußte den Kopf heben, sich aufsetzen. Es war wieder jeder allein.

Anna allein vor Hanna. Hanna aufrecht, kein Schmerzensgesicht mehr. Hanna aufgerichtet, nicht mehr das vertraute Gesicht, Hanna, hochaufgerichtet. Anna allein vor Hanna der Gerechten, der ausgestreckte, der befehlende, der wegweisende Arm, das leere Gesicht, darin nicht zu lesen war. Anna gebannt vor Hanna in der Wüste, Hanna reglos, heilig, Anna Sünderin, Hannamutter unberührbar, unantastbar, Fata Morgana, die sich entfernt, ohne sich zu bewegen, entschwindet im Wüstenlicht, wenn du dich näherst, Hanna die Reine, beschmutze sie, und der Schmutz wird von ihr abfallen und an dir hängenbleiben, beschimpfe sie, und es wird auf dich zurückfallen, zerre sie vom Sockel in den Kot, und sie wird sich unbefleckt erheben, dir verzeihend die Hand reichen, Fürbitte leisten, die Rache von dir abwenden, du kannst von ihr abfallen, aber dann fällst du ins Nichts.

II
Anna schwarzes Schwein

Als Marie ihn kennenlernte, trug Paul noch eine Brille – das Monokel kam später, nachdem er sich hochgearbeitet hatte und nicht am Galgen geendet war, wie der versoffene königliche Zollsekretär, sein unerbittlich rechtschaffener Vater, ihm wiederholt prophezeit hatte. Paul war kurzsichtig, aber seine Augen hatten die Farbe eines unbedeckten Abendhimmels, ein sanftes stilles Blau, das Marie später versagt sein sollte, wenn sie in die erdbraunen Augen ihrer Tochter schaute. Als Marie ihn kennenlernte, kam Paul aus dem Elternkrieg, in dem er schon auf der Seite der Mutter gestanden hatte, noch ehe er denken konnte, ohne zu fragen, bedingungslos, wenn auch seine Dienste selten gerecht gelohnt, nie so gewürdigt wurden wie die seines Bruders Wilhelm, was ihn zwar ein Leben lang schmerzte, doch nie auf den Gedanken kommen ließ, das Mutterland zu verraten, die Fronten zu wechseln, und wenn er in späteren Jahren zuweilen als Mittler auftrat, vergaß er doch nicht, wer der Feind war und wohin er gehörte. Ritterlich, zärtlich, sehnend nicht nur der Mutter, nicht nur Marie, dem ganzen Geschlecht zugewandt. Und er wandte sich auch nicht ab von Marie, als sie ihm mit dem Kind auf dem Arme entgegentrat, das er erst noch für das Kleine der Wirtin hielt. Viele Jahre später, da Hanna ihre Tochter durch das Beispiel der Großmutter abzuschrecken gedachte, war der historische Augenblick der, in dem Paul gerührt ob des Anblicks sagte: Wie Mutter und Kind. Und nicht glauben wollte, als Marie bekannte, und sich dennoch nicht abwandte, als er glauben mußte, wenn es ihn auch ewig quälte, daß er nicht der erste gewesen war.
Paul blieb Marie zugewandt: Mariechen hatte Mutter und Vater gefunden, ihren Paule, ihren Paulus, wurde sein Kind, sein Kindchen, sein Puppchen, das so gerne brav sein wollte und doch immer wieder unartig wurde. Ich streichle dir dann auch den Rücken und tue, wenn du hübsch artig bist, noch manches andere Liebvertraute. Artig mußt du natürlich sein und deinen Paule nicht ärgern. Aber Paule liebäugelte mit Olga, und Mariechen konnte nicht artig zuschaun: Marie machte eine Szene. Weggezaubert, wie vom Erdboden verschwunden die Charmante, die Liebenswürdige, die schlagfertige Kleine. An ihrer Statt eine Mokante, Maliziöse, maß-

los Gekränkte. Würdest du gefälligst die Güte haben, ein bißchen happig, aber mir herzlich schnuppe, kannst mir den Buckel runterrutschen, merk dir das. Paul, schuldbeladen, aber auch unlustig, belästigt, entnervt, suchte zu beschwichtigen, zu beruhigen. Kannst du dir schenken. Verbiestert der trauernde Mund, schwarzböse die Augen. Bis Paul den Schuldenrucksack ablegte und streng wurde und sich verbat. Und Mariechen weinte und wieder sein Dummchen, sein Schäfchen, sein Liebchen wurde. Schniefend an seiner Brust, getröstet. Nicht lange. Eine neue Olga, während die alte, für Paul längst vergessen, abgetan, noch immer in Marie rumorte. Neue Szenen. Paul in der Verteidigung, Marie bedrängend. Neue Anklagen. Vorwürfe. Rechtfertigungen. Wieder gekränkter Hohn, spitzes Kinn. Paul beteuernd. Marie unversöhnlich. Dafür kann ich mir nichts kaufen. Überschnappend die Stimme, groß, riesengroß die Augen. Paul, abgestoßen, nannte sie eine Komödiantin. Schmierenkomödiantin. Sie trommelte mit den Fäusten gegen seine Brust. Konnte nicht anders. Getrieben von der Angst, Paul zu verlieren, die Schulter, die Brust, an der sie sich betten konnte, gestillt gelegen hatte, satt, manchmal, früher, zu Anfang, konnte nicht anders, mußte klagen, anklagen, fordern. Ausgehungert, konnte es nicht hinnehmen, daß die Schüsseln an ihr vorbeigetragen wurden, daß andere bekommen sollten, was sie brauchte, andere satt und sie leer ausgegangen, mußte fordern als Bettlerin, du brauchst mir nichts zu geben, aber das werde ich mir merken, und Paul sagte, ich gebe nichts: die Bettlerin war zu gut gekleidet. Und Marie lief hinter den Kellnern mit den Schüsseln her und konnte sich nicht begnügen mit dem, was übrig war, wollte, was sie wollte mit ihrem brüllenden Hunger. Und Paul nannte sie hysterisch. Und sie wurde krank. Da nannte Paul sie olle Hummel und war besorgt und war liebevoll, deckte sie zu, machte ihr eine Wärmflasche, mummelte sie schön warm ein. Mariechen befriedet, geborgen, vergalt es ihm mit zärtlichen Augen. Aber wenn sie gesund wurde und er wieder zu liebäugeln begann mit einer neuen Olga, die Ilse oder Frieda oder Hertha, Sophie oder Hedwig Hinze hieß, dann wurde Puppchen zur Hyäne, und Paul mußte streng werden und sich in den Mann verwandeln,

der sich energisch zur Wehr setzt, wenn eine Frau ihm mit bösen Worten und sogar Taten zu Leibe rückt.
Als sie zum zweiten Male schwanger wurde, war Marie zweiundzwanzig Jahre alt. Mit dem, was da unaufhaltsam in ihrem Bauch wuchs, wucherte die Angst, daß Paul sie sitzenlassen würde. Und mit der Angst häuften sich die Szenen. Obwohl Paul sie gar nicht mehr verlassen konnte, Mann mit Anstand im Leib, auch wenn das Mädel sich, wie seine Mutter meinte, nicht so schnell hätte wegwerfen sollen und es zudem ja nicht das erste Mal war, aber es war doch auch ein armes Ding, was du nicht willst, das man dir tu, das füg auch keinem andern zu, und wenn Paulus der Wüstenwanderer sattgetrunken vom Brunnenloch fortstrebte, wieder hinaus ins Weite, dann rettete sich Mariechen zu seiner Mutter, die seit langem kein Wort mehr mit ihrem Alten redete und es sich gerne gefallen ließ, daß das Fräulein sich um sie bemühte, bald gewonnen durch Mariechens Wesen, das ihr gegenüber liebenswürdig, mitfühlend und dienstbereit, angesichts ihres Kreuzes aber äußerst schnippisch war, was ihr ein nicht geringes, wenn auch heimliches Vergnügen bereitete. Auf diese Weise geschah es wie von selbst, daß die beiden Frauen sich verbündeten, was Paul als Schirmherr des schwachen Geschlechts nicht ungern sah, da nun nicht mehr alle Klagen an ihn herangetragen wurden.

Bald nachdem es aus ihrem Bauch herausgekommen und auf den Namen von Pauls Mutter getauft worden war, brachte Marie das Kleine nach Wedding. Die erste Pflegestelle in der Pankstraße. Der enge Treppenaufgang. Der Übelkeit erregende Geruch. Die schmuddelige Küche. Die Kinder, die blöde herumstanden, mit ihren Rotznasen und verschmierten Mäulern. Marie legte das Kleine in die Wiege und ging schnell weg. Die zweite Pflegestelle in der Wiesenstraße. Die abgearbeitete Frau, die sich die Hände an der Schürze abtrocknete und die strähnigen Haare aus dem Gesicht strich. Der arbeitslose Mann am Küchentisch. Das Kinderbett in der Küche neben dem Spülbecken. Die dritte Pflegestelle in der Kösliner Straße. Die Frau mit den rissigen roten Händen. Die glotzenden Bälger in der engen Küche. Eher zufällig bemerkte die

alte Hanna, daß das Kind auch hier ausgehungert und wund war. Marie gab eine Anzeige auf: *Spielpüppchen!* Pflegemutter gesucht.
In Charlottenburg las die dreizehnjährige Tochter des Briefträgers Kurt Pillig die Anzeige und wünschte sich das Spielpüppchen zum Geburtstag.
Hanna war ein Jahr alt, als sie wund und abgemagert an einem Maitag bei Kaiserwetter ihren Einzug in das Wohnzimmer der Familie Pillig hielt und Mutter Pillig erst einmal enttäuscht feststellte: Och, die schielt ja. Woraufhin ihre Tochter, die einzige, sie hatte bloß drei Kinder, und die beiden anderen waren Jungen, das Kleine mitleidig in Schutz nahm: Och, die is doch aber niedlich.
Hanna hatte ein Zuhause gefunden.
Später war das ihr verlorener Garten, wo Liebe war und Mutter Pillig, der Drehorgelmann im Hof und die Zuckerstückchen, die Vater Pillig aus der Tasche zog, süß und weiß und voller Tabakskrümel, Mutter Pilligs Knopfkasten und Vater Pilligs prächtige Uniformmütze auf Hannas Kopf, und manchmal, abends in der Dämmerstunde, wenn Mutter Pillig und Lotte auf dem Sofa warteten, nahm Lotte die Kleine auf den Schoß und wiegte sie und sang ihr Lieder vor, das von dem Hut, der drei Ecken hat, und von Sabinchen, die ein Frauenzimmer war, bis es ganz dunkel wurde. Dann mußte Lotte aufstehen und die erleuchteten Fenster draußen zählen. Sobald es sechs waren, aber nur dann und nicht gemogelt, durfte Licht gemacht werden, und Hanna hörte auf, sich zu fürchten vor dem, was aus den dunklen Ecken kam und immer größer wurde und noch größer und verschwand, sobald Licht war, aber nachts wiederkam, immer wieder, obwohl Hanna es abzuwenden suchte, indem sie Mutter Pillig fragte, jeden Abend vor dem Einschlafen, immer dasselbe – die drei Fragen: Träume ich auch nicht schlecht? Bin ich deine liebe Tochter? Und kommt auch nicht der Wolf?
Sonntags kamen Paul und Marie in Hannas Garten. Paul breitete die Arme aus, hob Hanna hoch, setzte sie auf seine Schultern, galoppierte mit ihr hierhin und dorthin. Auf Pauls Schultern war Hanna Herr über die Welt. Marie stand und schaute. Später, auf Pauls Schoß, in seine wunderbar duf-

tende Halskuhle geschmiegt, war Hanna in vollkommener Sicherheit, sogar vor dem Wolf. Die Welt stand still. Aufrecht saß Marie, schaute, groß und schwarz, und lächelte wie von weither drohend. Hanna wollte nicht, daß Paul zurücklächelte, er sollte die Trauerfrau nicht sehen. Hannas kleine Hände rechts und links als Scheuklappen an Pauls Schläfen, ihr Gesicht ganz dicht an seinem. Maries gepreßte Stimme. Das ist aber ungezogen. Hanna hörte nicht hin, strahlte dem wundervollen Vater ins Gesicht: Du bist so schön wie Henny Porten und Waldemar Pisslander. Drehte sich um zu Marie: Und du geh auf die Straße. Verletzt, gekränkt, saß Marie ohnmächtig aufrecht, schaute wie die böse Fee, doch Hanna fürchtete sich nicht. Pappi soll dableiben, Mami raus.
Es kam aber eine Zeit, da Marie alleine in Hannas Garten einbrach. Weit weggefahren war Paul, in die ferne Stadt Hamburg. Arbeiten, Geld verdienen, erklärte Marie. Hanna streckte ihr die Zunge heraus. Marie gab ihr eine Ohrfeige. Mutter Pillig boxte Marie in die Rippen. Marie beschwerte sich bei Paul. Über Hannas Eigensinn. Ihre Unarten. Ihre Frechheit. Beklagte die roten Haare des Kindes. Seine Sommersprossen. Seine Nase, die so groß zu werden drohte wie ihre eigene. Paul beschwichtigte. Wenn sie Dein »Näschen« bekommt, bin ich ganz zufrieden. Ich verstehe nicht, warum Du Deine Nase so oft kritisierst.
Marie, einsam in Berlin, ging zur Arbeit und kam nach Hause in ihr möbliertes Zimmer, wo sie lange Briefe schrieb an den fernen Paul, klagende, anklagende, bittende Briefe, in denen es Deutschland nicht gab und keinen Kaiser und nicht den großen Krieg, bloß Vorwürfe und Beschwerden. Hanna eine Komödiantin. Hanna bockig, eigensinnig, frech. Marie nur ein notwendiges Übel, für beide, das Kind und den Mann.
Daß ich Dich nur Hannas wegen gern haben soll, ist doch Unsinn, das weißt Du ja selbst. Ich habe Euch beide gern, jeden auf eine ganz eigene Art.
Marie konnte nicht glauben, nicht sicher sein, mußte Angst haben, immer Angst. Wieder sitzengelassen werden, allein auf der Welt mit ihrer Schande. Während Paul sich amüsierte. Wie Bolle auf dem Milchwagen. Anstatt sie unterwürfig zu machen, trieb die Angst Marie zu immer neuem Fragen.

Daß ich Dich noch genauso gern habe wie sonst, wenn Du lieb, vernünftig und artig bist.
Marie konnte es nicht glauben, wollte wiederhaben, was einst gewesen, Liebesworte, sanftes Tönen, tiefes Schaun. Beschwerte sich über seine kühlen, geschäftsmäßigen Briefe. Paul aber war mitten im Männerkampf, atemlos auf seiner Laufbahn. Da schreibt man keine Romanzen, mein Kind, da möchte man sich aussprechen. Die Laufbahn uneben und überall Fallen aufgestellt. Der Läufer schlecht gerüstet. Nicht schlappmachen. Jemand werden. Es dem Alten zeigen. Angesehen sein.
Unterdessen spielte Hanna bei Mutter Pillig in ihrem Garten, alles andere als lieb und artig, wenn sie gestört wurde, sonntags von Marie, die wie ein Racheengel kam und ging mit ihrer fremden harten Stimme und der Sommersprossencreme, die so fürchterlich stank und brannte. Hanna sträubte sich mit Händen und Füßen, strebte weg von Marie, trat ihr gegen das Schienbein. Kein noch so gutes Zureden half.
Sieh mal, du willst doch ein schönes Mädchen werden. Und die ollen Sommersprossen sind sooo häßlich.
Du bist häßlich! Du bist häßlich wie die Nacht!
Marie umklammerte Hannas Handgelenk noch fester, schickte Lotte einen Spiegel holen.
Da schau! Sieh dich an! Wer ist häßlich?
Du bist häßlich!
Marie ließ los, packte die Sommersprossencreme wieder ein, verließ das Haus, grußlos an der Küche vorbei, wo Hanna das Gesicht in Mutter Pilligs Schürze barg. Marie beschwerte sich bei Paul. Starkes Stück. Tüchtige Tracht Prügel. Impertinent. Das Balg. Aber für Paul blieb Hanna unsere Maus, unser kleiner Racker.
Weil jemand sie mit Hanna gesehen hatte, weil bekannt geworden war, daß sie ein uneheliches Kind hatte, wechselte Fräulein Mandelbaum die Stelle und wurde unvernünftiger denn je, mußte immer daran denken, wie anders alles wäre, wenn Paul sie heiraten würde, alle Qual ein Ende, alles alles gut, mußte immer wieder davon anfangen, wenn er bloß wollte, könnte er, würde er, konnte nicht anders, mußte ihn bedrängen, immer wieder, konnte nicht lockerlassen, nach-

geben, sich schicken, mußte ihm seinen Egoismus vorhalten, seinen Leichtsinn, bloß keine Verpflichtungen übernehmen, bloß keine Verantwortung tragen, aber er konnte das ja nicht verstehen. Nie konnte er sie verstehen. Du glaubst wirklich, daß ich Dich so gar nicht verstehe? Nur zu gut, mein Mariechen, aber Deine Liebe, an der ich viel habe, trübt Deine weibliche Logik und billigt mir nicht zu, meine einstweilen gesellschaftlich, materiell und gesundheitlich ungesicherte Stellung im Leben von noch mehr Verantwortung freizuhalten. Im übrigen ist es mir unter keinen Umständen erwünscht, daß Du den Posten bei den Sozialisten annimmst, auch wenn es noch so günstig wäre.
Doch verlangte es Paul, einsam auf seiner Laufbahn, nach warmen Frauenarmen, Apfelbrüsten, Lippen weich wie Katzenpfoten. Nach Mariechens Brunnenaugen, ihrer dunkelkühlen feuchten Höhle. Ließ seine Oase zu sich kommen. Aber Mariechen konnte ihre Lage nicht ganz vergessen und nicht, daß er sie ändern könnte, wenn er nur wollte, war mal Puppchen, mal pampig und weinte herzzerreißend, als sie wieder fort mußte, zurück nach Berlin in ihr möbliertes Zimmer.
Nicht, daß Du Tränen beim Abschiednehmen vergossest, machte mich nervös, sondern, daß Du sie mir so ostentativ zeigtest, statt sie taktvoll zurückzuhalten.

Zwei Jahre nach Beginn des ersten großen Krieges, an dem er sich, kurzsichtig, kein Hüne, kein Baum von einem Mann, sondern eher anfällig und von zarter Gesundheit, nicht beteiligte, obwohl er ihn durchaus billigte, gab Paul, nachdem er in seiner Laufbahn stetig vorangekommen war und furchtlos in manch schönes kaltes Verlegerauge geblickt hatte, unerwartet nach, als Marie, deren Onkel Schlomo durch einen großangelegten Handel mit Eiern reich geworden war und ihr eine Aussteuer versprochen hatte, fragte, ob er sie nun heiraten würde.
Es kamen Herr und Frau Feuerbach und rissen Hanna aus ihrem Garten. Man packte ihre Kleider und Puppen, den Teddy und ihre Spielsachen zusammen, versprach ihr ein großartiges Leben, ein neues, ganz anderes, viel viel schöne-

res und nahm sie mit. Hanna wollte nicht. Konnte nicht glauben, daß nun alles zu Ende sein sollte. Wollte nicht. Konnte nicht. Schrie. Schrie in der neuen Wohnung, schrie in dem neuen Bett. Schrie und schrie. Nach Mutter Pillig. Nach Lotte. Nach Hans und Wilhelm. Nach zu Hause. Durch nichts zu beruhigen. Auch nicht durch Paul, der, hilflos, bald nicht mehr wußte, was tun. Hanna schrie, und Marie schloß das Fenster. Was sollen denn die Leute denken? Hanna schrie die ganze Nacht durch.
Am Morgen hatte sie begriffen, daß Schreien zwecklos war, und fügte sich.

Hanna suchte den Schlüssel zum Sekretär, tastete die Schrankdecke ab, fühlte in der Tasche des Morgenrocks, der Schürze, kippte, immer fahriger, ihre Handtasche aus, sammelte alles wieder ein. Marie blieb hartnäckig. Wenn du mich schon allein läßt mit dem Kind.
Plötzlich war der Schlüssel da, und Hanna konnte aufschließen, mit dem Gesicht, das sie immer machte, wenn sie den Sekretär aufschloß, gesammelt wie für eine heilige Handlung, klappte vorsichtig die Schreibplatte herunter, zog das Schublädchen heraus, in dem sie ihre Schätze und Maries Zigaretten aufbewahrte. Marke Juno, zwei in Hannas flacher Hand und Mariechens Flunsch, Mariechens Murren: Bloß zwei. Der Sekretär noch offen, schnell nahm Anna zwei mehr für das arme Großmütterchen, aber Hanna sah wie immer mit dem Rücken, empört, Maries Husten, Maries Magengeschwüre, habt ihr denn alle keine Vernunft, Hanna erbittert im Recht und unanfechtbar, nicht geizig, nur vernünftig. Anna und die Großmutter in der Gewalt einer mächtigen Hexe, die tief im Wald wohnte und ein sehr böses Weib war, das kleine Mädchen vom Wege ablockte mit betörenden Gesängen mal aus dieser, mal aus jener Richtung, und wenn die Mädchen sich verirrt hatten, dann holte die Hexe sie in ihr Hexenhaus, wo sie ihr dienen und immer nur dienen mußten, und wollten sie nicht gehorchen, ließ die Rompompel sie allein in dem finstern Wald. Anna allein in Hannas Zimmer in der mutterlosen Höhle. Über dem Ahornbaum draußen war ein mürrischer Mond aufgegangen, und niemand wußte, daß

sie eine Hexe war. Wer ihr im Walde begegnete, erblickte eine sanfte Mutter mit ihrem Kind, und das Kind brüllte und schrie, und jeder sagte, was ist das für ein ungezogenes Kind, die arme Frau. Aus Mariechens Zimmer schimmerte Licht unter der Tür hindurch, aber es war unheimlich still nebenan, kein Räuspern, kein Rascheln, ob Mariechen tot war? Anna allein mit der toten Großmutter, und Hanna – wenn Hanna nicht zurückkommen würde, nie mehr, tot umgefallen, mitten auf der Straße oder überfahren, ein Menschenauflauf um Hanna herum, die verkrümmt auf dem Asphalt lag wie der Mann vor der Schule, weiße Blasen schäumten aus seinem Mund, nein, das nicht, helfen, Hanna retten, das Hörrohr auf Hannas Brust, das ernste Gesicht des Arztes, Hanna nicht mehr zu helfen. Entsetzt riß Anna die Augen auf, schaute verzweifelt im Zimmer herum, dunkel die Blätter des Ahornbaums gegen den Himmel. Mach es der Mami nicht so schwer, sie hat es schon schwer genug. Beschämt strich Anna mit den Fingerkuppen über die Wand, fühlte die trockene, feste Tapete, aber das half gar nichts, das freudlose Gesicht, mit dem Hanna fortgegangen war, schmerzte weiter, körperlich, mit jedem Atemzug, als ob Anna es verschluckt hätte und nun für immer mit sich herumtragen müßte. Aus sich herausspringen wollte Anna, laufen, weit weg, bis ans Ende der Welt, und kam doch nicht vom Fleck, lag immer noch im Bett, eingesperrt in der Reue, aus der es nur einen Ausweg gab: alles wiedergutmachen, nie mehr so sein, und schon verstand Anna nicht mehr, konnte nicht begreifen, warum sie gewesen war, wie sie gewesen war, wo es doch so einfach war, anders zu sein, ganz einfach. Anna fühlte sich leicht werden, frei atmen und wachsen, weit über sich hinaus, stark und zuversichtlich werden. Sie würde der Mutter ein fröhliches Gesicht machen, ein Lachen, viele Lachen. Anna vergaß, vergaß vollkommen, daß sie jemals etwas anderes als Liebe, allumfassende Liebe empfunden hatte, schaute dem Mond mit der Gewißheit ins Gesicht, daß von nun an alles anders werden würde, nie mehr ein häßliches Wort, und knipste das Licht an, schrieb ein reumütiges Zettelchen, heimgekehrt war die verlorene Tochter, und würde fortan und immerdar freudig dienen, legte das Zettelchen auf Hannas Nachttisch, machte befreit das Licht aus und stellte sich gerührt vor, wie Hanna nach Hause kommen und das Zettelchen lesen würde.

Auf sommerwarmer Wiese, im Rücken die Erde, das Kitzeln der Grashalme in den Handflächen, Sonne im Gesicht – jemand wollte Anna wegziehen, puffte und knuffte, rüttelte und schüttelte. Anna sträubte sich, wollte nicht fort, nichts wissen von Hannas Stimme, wach auf, wach doch auf, ein Riese schnarchte, und dann grollte es fürchterlich, jemand hatte ihn geweckt. Geblendet schaute Anna in Hannas Gesicht, in ängstliche Augen.
Hanna zerrte den Stecker des Radios aus der Steckdose und zog schnell das gestreifte Kleid über den Schlafanzug.
In Mariechens Zimmer saß Hanna am Tisch, den Stuhl Marie zugewandt. Anna wieder im eigenen Bett, konnte nur den Rücken der Mutter sehen, das zerwühlte Haar und die Beine in den Schlafanzughosen. Mariechen rauchte verschlafen. Hanna hatte das Fenster geschlossen, draußen war es dunkel, es windete, und die Läden klapperten, als ob sie lebendig wären.
Mariechen, willst du nicht doch? Für den Fall, daß?
Nein, sagte Marie, und Hanna sprang auf, oh Gott, ich habe vergessen, und zog den Stecker des Toaströsters heraus. Hinter dem Fensterkreuz wurde es einen Atemzug lang hell, der Ahornbaum reckte die Zweige in den Himmel, und schon war wieder Dunkel. Hanna setzte sich, die Lippen zusammengepreßt, den Kopf eingezogen. Als der Donnerschlag verklungen war, sagte Mariechen sinnend: Paul hatte auch solche Angst vor Gewitter. Aber Hanna war nicht in der Stimmung, Weißtunoch zu spielen, antwortete abwesend, dem Donner nachhorchend: Herzog nicht. Der hatte überhaupt wenig Angst. Und Anna begriff, daß Jakob fehlte, daß, wenn Jakob nur da wäre, kein Blitz einschlagen, gar nichts passieren könnte, alles ganz ganz anders wäre. Regen klatschte gegen die Fensterscheiben, dunkel hell dunkel und gleich darauf ein fürchterliches Krachen, das in ein langgezogenes Grollen überging. Anna horchte auf das Knurren des Himmelshundes und kuschelte sich in das warme Bett. Ich habe auch keine Angst. Trat dem schwarzen Riesenköter

forsch entgegen, er war sehr groß und sie sehr klein, jedoch von Mut und Tapferkeit beseelt, weit weg Hannaundmaries Stimmen, Blitzableiter, ob das Haus einen Blitzableiter – da war es plötzlich geschehen, Flammen schlugen auf, Entsetzensschreie, Verwirrung, jemand rief, es hat eingeschlagen. Anna aber, Anna allein blieb ruhig, eiskalt, wurde groß und stark, trug Mariechen hinaus durch das Flammenmeer und dann Hanna, torkelte auf die Straße, die ohnmächtige Mutter in den Armen, Menschen waren da, viele Menschen, und Anna schwarz von Ruß und Rauch, mit versengtem Haar fühlte, wie die Sinne sie verließen, vollbracht, es war vollbracht.

Zaghaft ertönte Hannas Stimme: Ob ich doch mal zu Meisters runtergehe?

Worauf Mariechen nüchtern fragte: Glaubst du, die können das Gewitter abbestellen?

Hanna fand das gar nicht witzig, Anna aber sehr. Kusch, befahl Herr Meister dem Himmelshund, und der hörte sofort auf zu knurren und leckte Herrn Meister die Hand. Da sagte Hanna verärgert über die Schulter: Du, gib mal nicht so an. Anna verstummte, schaute gekränkt auf den Vorhang, hinter dem das Fenster war, das Hanna geschlossen hatte, damit kein Blitz hereinkam. Draußen wütete es weiter, drinnen schwiegen sie, horchten auf das Toben des Windes, das Klappern der Fensterläden, und Anna, schön geschützt in der warmen weichen Höhle, vergaß, was sie sich eben noch vorgenommen hatte, nie nie mehr etwas zu sagen, sagte: Schön, ich finde das herrlich. Worauf Hanna sich gereizt nach ihr umdrehte: Schön ist das gerade nicht. Was Anna aber gar nicht mehr hörte, weil das Glas so laut klirrte. Der Blitz war durchs Fenster geschossen, durch Hannamarieundanna hindurch, alle drei sofort tot, verkohlt, nichts rührte sich mehr in dem Zimmer, und hinter den Särgen würde niemand hergehen, drei schwarze Särge, drei offene Erdlöcher, und niemand würde um sie weinen.

Alle vierzehn Tage kam Frau Lehmann, für Hannaundmarie die Lehmann und entnervend diesseitig.

Wenn Anna später an Lieschen zurückdachte (Annamädchen, nenn mich Liese, gelle), sah sie eine kleine krummbeinige Frau, so alt wie Hanna, aber mit viel mehr Falten im Gesicht, der einzige Mensch von draußen, der regelmäßig in die Dachwohnung kam, deren sich Hanna, Marie und Anna jede auf ihre eigene Weise schämten, wenn auch nicht vor der Lehmann, die in einer Schrebergartensiedlung am anderen Ende der Stadt hauste, wo es keine Scheibengardinen gab, jedenfalls nicht die blütenschneeweißen, die den Blick in die geräumigen, mit altehrwürdigen Möbeln ausgestatteten Zimmer der wilhelminischen Villen in der Waldstraße verwehrten, und keine Schröder Köhler Pfeiffer Ziegler und Schuhmacher, die geregelt lebten und in geordneten Verhältnissen, bloß wacklige Bruchbuden mit einer Wasserpumpe und einem Scheißhaus im Garten. Frau Geheimrat und Fräulein Seckingen, die beiden alten Damen des Hauses, die Anna gelegentlich Herzenstakt beizubringen suchten, sprachen von Gesindel, Gesockse und faulem Pack, auch von gefährlichen Gangstern und schlechten Frauen, was in Anna das trotzige Gefühl erweckte, dort lebten ihre wahren Brüder und Schwestern, obwohl sie es vermied, der Lehmann allzu nahe zu kommen, weil die so sehr nach Putzlumpen stank. Aber wenn sie an ihre Kindheit zurückdachte, dann gehörte Liese dazu, mit ihrem rissigen runden Kindergesicht und den vielen leeren Taschen, die sie mitbrachte, für den Fall, daß Hanna alte Schuhe Puppen Kleider zu verschenken hatte, eingerissene Plastiktaschen, ohne Henkel, mit klaffendem Reißverschluß, abgelegt von den Hausfrauen, bei denen sie putzte, und es gehörte der Moment dazu, in dem Liese im Omnibus an ihr vorbeigefahren war – viel zu klein, um einen der Haltegriffe zu erreichen, hatte sie, von ihren Taschen umgeben, schwankend auf der Plattform gestanden. Wie sich ihre Hand anfühlte, trocken und rauh, wenn sie donnerstags mittags unten in der Eingangstür, der schweren, braunen, reichverzierten, Annas Hand ergriff, nicht fest, gerade so, daß sie ihr nicht entgleiten konnte, und sie herzlich und so lange schüttelte, als wollte sie nie mehr loslassen. Und der Klang ihrer Stimme, durchdringend helle Kinderstimme, wenn sie immer dasselbe sagte, alle vierzehn Tage wieder, eine ganze Kindheit lang und noch darüber hinaus, immer dasselbe. Annamädchen, sind schon wieder vierzehn Tage rum, wie die Zeit vergeht. Und wie sie dann ihre ausgelatschten Schuhe auf der Kokosmatte abtrat, nu wolln wir mal wieder, ungeniert schwatzend das getäfelte Vestibül mit Herrn Meisters Hüten durchquerte, grauen braunen schwarzen Früchten am Garderobenbaum, dickleibig behende die Treppe hochstieg – nie vergaß Anna den im Steigen wogenden, weit ausladenden Hintern und das fröhliche Quasseln von der Zeit, die vergangen war, und der Zeit, die vergehen würde, eben alles noch so schee, und einmal, auf deutsch gesagt, den Arsch zugepetzt, und schon falln die Blätter ab. Es gehörte auch dazu, daß Fräulein Seckingen den Kopf mißbilligend zur Tür herausstreckte, pssst, Frau Geheimrat schläft, und Hanna oben in der Küche, wenn Liese ihre Taschen abstellte und munter schnatternd eine Schürze umband, die Blätter falln ab, die Tage werden kürzer, und schon haben wir wieder die Weihnacht, daß Hanna, während Liese sich ausführlich und drastisch erinnerte, wie das war, letztes Jahr an Weihnachten, als Kalle, ihr Bruder der Spätheimkehrer, unterm Baum zu flennen anfing, die arme Sau, nimmt eine von die Puppen innen Arm und rotzt ihr, auf deutsch gesagt, die Kapp voll, daß Hanna mit dem gewissen schmerzlichen Zug um den Mund vom Spülstein zum Küchenschrank zum Mülleimer zum Spülstein eilte und endlich energisch wurde: Frau Lehmann, Sie fangen heute im Zimmer meiner Mutter an.

Alle vierzehn Tage wieder, mit immer gleichbleibender Unbeschwertheit, brach Frau Lehmann in Mariechens stille Festung ein, indem sie mit einem Finger an die Tür klopfte, sie dann ganz langsam aufschob und vorsichtig den Kopf ins Zimmer streckte, da bin ich wieder, Frau Feuerbach, respektvoll zu Mariechen ans Bett trat und eine auf der Decke liegende Hand ergriff, um sie lange zu schütteln. Wie schnell die vierzehn Tage rumgegangen sind. Marie machte dann immer das gleiche ergebene Gesicht, und Liese sagte, alle vierzehn Tage wieder, und begann, den Nachttisch abzuräumen, die silberfarbene Miniaturtruhe, die einst voller Kekse gewesen war und jetzt alte Briefe und Fotos enthielt, das Mensch-ärger-dich-nicht-Spiel, über dem sich Marie und Anna mit je-

desmal ganz neuer Erbitterung zankten, die klebrigen Medizinfläschchen, das Glas mit abgestandenem Wasser, die Pillenröhrchen, das Salzfaß, die Patiencekarten, den Aschenbecher, den Liebesroman aus der Leihbibliothek, die Streichhölzer, die Marie zuweilen, wenn sie im Hause knapp wurden, im Bett versteckte, den Schreibblock, schreibste mir, schreibste ihr, schreibste auf MK-Papier, den Füllfederhalter, das Tintenfaß, bis das Wachstuch sichtbar wurde, blau-weiß gestreift, mit vielen Kringeln und Flecken, und dabei hatte Liese immer etwas Interessantes zu erzählen – von Lotte dem Luder, ihrer Nachbarin und Feindin, von Fritze dem Zahndoktor, dem großen Bruder, und Kalle dem Spätheimkehrer, dem kleinen Bruder, raus aus dem Gefängnis, rein ins Gefängnis. Da schafft er jetzt in der Schneiderei. Siehst du, hab ich ihm gesagt, das hast du jetzt davon. Warum mußt du auch immer mit Kindern rummachen. Er hat immer so scheene Puppenkleidchen genäht. Jahre später, als Anna schwanger einen alten Kinderwagen, wacklig und eierschalenfarben, bei Liese Lehmann abholte, sah sie die Puppen, das Gedrängel in den Wägelchen und die Scharen auf dem Bett, in züchtigen Kleidchen auf der rosa Steppdecke, groß und klein, auch eine Negerin dabei, rote Backen und lange Wimpern, schwarz gebogen über wasserblauen Porzellanaugen. Und wenn er keine Kinder kriegen kann, dann nimmt er einen von den Teddys. So, Frau Feuerbach, dann wolln wir mal.
Nachdem Liese die Brechschale und den Nachttopf unter dem Bett hervorgeholt, die Stühle auf den Tisch gestellt und den Teppich aufgerollt hatte, war der Moment gekommen, da Mariechen das Bett verlassen mußte, das frisch bezogen werden sollte.
Vieles änderte sich im Laufe der Jahre, in denen Liese Lehmann kam, um die Dachwohnung in der Waldstraße zu putzen. Mariechen wurde kleiner und der Rücken so krumm, daß es wie ein Buckel aussah, die schmalen Lippen verschwanden ganz, das graue Haar, einst zu zwei dicken Zöpfen geflochten und von Kinderhaarspangen zusammengehalten, wurde abgeschnitten und entfärbte sich, bis es gischtweiß war, aber eines blieb sich immer gleich – die Miene, mit der

Marie das Federbett zurückschlug und die langgliedrigen, leichenweißen Füße mit den gelben Zehennägeln auf den Boden stellte und lustlos nach den Hausschuhen tastete, wo sind meine Hausschuhe, ich kann meine Hausschuhe nicht finden, war bis zuletzt die Miene einer beleidigten Königin.

Wenn Mariechen, in der einen Hand eine brennende Zigarette, in der anderen den Aschenbecher, auf unsicheren Stockbeinen aus dem Zimmer geschlurft war, trug Liese den Nachttopf hinaus, anders als Hanna, die diese Pflicht stets mit angestrengtem Gesicht, steifem Arm und abgewendetem Kopf erfüllte – bei Liese hieß das schlicht, oben rein, unten raus, und meistens blieb sie noch eine Weile in der Tür stehen, um zu Hannas eilendem Rücken hin zu schwatzen.

Ein Geräusch wie Möwenschwingenschlag, wenn das Laken entfaltet wurde, der schwache Kernseifenduft, die fehlenden Knöpfe, und Mariechen, die, den Kopf matt auf der Schulter, wie eine arme Verbannte in sich zusammengesunken auf einem Sessel neben Hannas Bett harrte, Aschenbecher auf der Lehne, Zigarettenstummel zwischen den knöchernen Fingern. Durch die offene Tür Lieses Stimme, steigend und fallend und wieder ansteigend. Und alle vierzehn Tage die gleiche Szene, zieh doch deinen Morgenrock an, Mariechen – ob der Ahornbaum vor dem Haus in rotgelben Flammen stand, schlaff die Blätter hängen ließ in der Hitze der Hundstage oder winterkahl die schneebedeckten Zweige in den Himmel reckte, immer fuhr Mariechen gereizt hoch und erklärte, ihr sei nicht kalt, und immer kam Hanna mit dem zerschlissenen Morgenrock, sagte Mariechen noch einmal, mir ist nicht kalt, und stand dann widerwillig auf, um den Morgenrock anzuziehen.

Wenn Liese dann unter dem Bett gewischt und, in den Eimer hineinschwatzend, den Putzlumpen ausgewrungen hatte, wenn der Teppich zurückgerollt war und die Stühle wieder auf dem Boden standen, war es soweit, Frau Feuerbach, jetzt können Sie wieder, und Mariechen erhob sich wie jemand, der lange allein in einem kahlen Vorzimmer gewartet hat und endlich endlich aufgerufen wird, strebte, Zigarette im Mundwinkel, Aschenbecher in der Hand, geschwind dem Bett zu,

streifte die heruntergetretenen Pantoffeln ab und ließ sich aufatmend fallen.
Gegen Abend hing überall der Geruch von Bohnerwachs in der Luft, in Mariechens Zimmer, wo Hannaundmarie erschöpft schweigend aßen, auf dem schon halbdunklen Flur und in der Küche, wo Liese, über den Teller mit Wurstbroten gebeugt, allein am Tisch saß, kaute und Muckefuck schlürfte, den Blick auf die abgeblätterte, blaßgrüne Küchenwand gerichtet. Einmal, in sommerabendlicher Stille, beim Summen der Fliegen über dem Teller, sah Anna Liese Lehmanns rissigen Nacken. Ihre leise Empörung, von Hanna beschwichtigt – es ist ihr lieber so.
Mehr als ein Vierteljahrhundert später, als Anna sich auf den Weg machte, die dreizehnte Fee zu suchen, die einst, zornentbrannt ob einer Kränkung, an die sich später niemand mehr erinnern konnte, zwei Zimmer unter dem Dach, Flur, Klo und Küche verwunschen hatte, auf daß die Zeit darin stillstünde und die Tage einander glichen, fast dreißig Jahre später hatte Anna noch genau vor Augen, wie Liese Lehmann ihren Teller abspülte, nachdem sie gegessen hatte, die Schürze abnahm, zusammengerollt in einer der Taschen verstaute und aus einer anderen das Portemonnaie hervorkramte. Und wie sie dann mit einem Finger an Mariechens Tür klopfte und sie langsam ganz langsam aufschob, da bin ich wieder, wie schnell die Zeit rumgegangen ist.
Langgezogen und geschichtenreich waren die Abschiede, die damit begannen, daß Mariechen das Bett abtastete, unter dem Kopfkissen, im Kulturbeutel nach ihrem Portemonnaie suchte – Frau Lehmann, wo haben Sie meinen Kulturbeutel hingetan? Und Liese suchte gutmütig, suchte und fand und beschwor dabei die Gestalt ihrer Mutter, die ein eisernes Regiment führte in dem Schrebergartenhäuschen, da wagte keiner zu mucken, auch nicht Fritze der Raufbruder, und Liese ging schon deshalb gerne putzen, weil sie dann bei die Leut war und nicht zu Hause, wo die Mutter moserte und mäkelte und den toten Vater mies machte. Unaufhörlich redend, näherte sich Liese Lehmann Schritt für Schritt dem Bett, das immer leere, abgegriffene Portemonnaie in der Hand, und malte ein bißchen schadenfroh aus, wie unglaublich fett die

Mutter war, eine Maschine, kann sich kaum mehr bewegen, die alte Wachtel, und Liese nahm ihren Lohn in Empfang, dankeschee, ergriff Mariechens Hand und schüttelte sie, also Aufwiedersehn Aufwiedersehn, bis in vierzehn Tagen wieder. Mariechen nickte ungeduldig und versuchte ihre Hand wegzuziehen, die Liese jedoch weiter schüttelte: Wie schnell sind vierzehn Tage rum. Aber da waren noch Lieses Söhne, Heini der Kleine und Maxe der Große, der Kleine immer ein guter Kerle, der Große dagegen – es gab eine Zeit, da beklaute der seine Mutter, und Hanna sagte dazu, das ist aber häßlich von ihm, und Anna machte sich inwendig ganz klein, weil sie ihre Mutter ebenfalls beklaute. Rückwärts gehend zog Liese sich Schritt für Schritt vom Bett zurück, immer weiter redend, die Klinke in der Hand, also dann Aufwiedersehn Aufwiedersehn. Mariechen ließ sich ins Kissen fallen und griff nach ihrem Liebesroman, während Frau Lehmann langsam und leise die Tür hinter sich zuzog, bis in vierzehn Tagen wieder.

Anfangs versuchte Anna noch, sich vor dem heraufziehenden Unwetter in die Höhlen der Lüge zu retten, obwohl sie, unter eben noch blauem Himmel von Hanna gestellt, augenblicklich wußte, daß Hanna *wußte* und schon nicht mehr aufzublicken wagte, aber noch hoffte, davonzukommen, was ihr da gemacht habt, Julie und du, sieh mich an, die Luft wurde drückend, das Atmen schwer, Anna mußte sich beeilen, fragte harmlos – was denn? und begann zu laufen, doch Hanna verstellte ihr den Weg, und als sie um Hanna herumlaufen wollte, stand Marie da. Kopflos rannte Anna hierhin und dorthin, und immer wuchsen Hannaundmarie vor ihr auf, kein Entkommen, Julie hatte verraten. Anna blieb stehen, duckte sich, kauerte sich zusammen, die Hände über dem Kopf und mit angehaltenem Atem. Am Fußende von Maries Bett, eingekeilt zwischen Bett und Tür. Aus Hannaundmarie wuchsen Riesen heraus, die immer noch größer wurden und noch größer, während Anna schrumpfte, aber nicht klein genug werden konnte, um zu verschwinden, nicht mehr zu sein, nicht mehr Anna zu sein, und hatte immer noch Ohren zu hören, antworte mir, ich will wissen, wer angefangen hat. Mach mir doch nichts vor. Julie sagt, du warst es. Anna aber glaubte noch immer, sich retten zu können, häufte Steine um sich auf, versuchte ein Mäuerchen zu bauen, um sich dahinter zu verbergen, doch Hanna räumte die Steine wieder ab, einen nach dem andern, sag doch mal ehrlich, und Anna häufte neue Steine auf, ich nicht, bestimmt nicht, ich schwör's, vom Himmel kam kein Blitz, und die Erde tat sich nicht auf, aber Hanna machte ein so trostloses Gesicht, daß Anna hinter der Mauer hervorkam, sie zu trösten. Da wollte Hanna wissen, wo sie das herhatte, solche Sachen, unappetitliche Sachen, sagte Marie von ihrem Bett aus, krank wird man davon, und Hanna sagte mahnend, Mariechen, und wollte noch immer wissen, woher? Vielleicht aus dem Kinderheim, und weil im Kinderheim nichts gewesen war, konnte Anna aufatmen und wieder aufblicken, dachte einen Augenblick lang, es sei nun vorüber, aber Hanna wollte nun auch die Wahrheit nicht glauben. Da fing Anna an zu weinen, und Marie sagte, wer einmal lügt, dem glaubt man nicht, und Hanna, irgendwo mußt du das doch herhaben, und konnte nicht lokkerlassen, nicht loslassen, ich meine es ja nur gut, und Anna begriff, daß sie es wirklich gut meinte, daß sie nur die Schuld nicht auf ihrem Kind wollte, nicht ihres, ein anderes, ein anderes Kind der Anstifter, ihres bloß das Verführte, im Grunde unschuldig. Und Anna hörte auf zu weinen und beteuerte weiter, immer weiter, obwohl sie nun schon wußte, daß es zwecklos war, und spürte, wie sich etwas von ihr löste und im Brunnen versank, bis in die letzten Dunkelheiten hinunter auf den Grund, wo der Wassermann wohnte. Weit weg Hannaundmaries Stimmen, Anna ging das alles nichts mehr an, allein auf der Welt, von allen Menschen, die vor ihr gewesen waren, und allen, die nach ihr kommen würden, war sie die einzige, die so etwas gemacht hatte, Julie nicht, Julie im Grunde unschuldig, schuldig Anna allein. Als schmutzige Mohrin stand Anna da. Marie war weiß, und Hanna war weiß, nur Anna, Anna allein war schwarz, aber wollte sich bessern, wollte so etwas nicht mehr tun, nicht mehr Anna sein, im Brunnen kräuselte sich das Wasser, als ob nichts gewesen wäre, obenauf schwammen ein paar welke Blätter, und Marie in ihrem Bett nahm die Gestalt der Rachegöttin an, und nicht aus Mariechens zahnlosem Mund, der zuweilen so zärtlich das Lied von Mariechen sang, die weinend im Garten saß, aus dem Mund der Göttin selbst kam das Urteil: Davon bekommt man Krebs. Und Anna glaubte, glaubte noch, als sie längst nicht mehr glaubte.

III
Du sollst Vater und Mutter ehren

Manchmal durfte Hanna zurück in ihren Garten. Es hatte sich dort auch nichts verändert, alles war an seinem Platz geblieben, nur stülpte ihr Vater Pillig nicht mehr die Uniformmütze über den Kopf, zog auch keine Zuckerstückchen mehr aus der Tasche, Paul wollte das nicht, wegen der Tabakskrümel, und überhaupt furchtbar unästhetisch. Lotte nahm Hanna bloß so auf den Schoß, aber nicht mehr in der Dämmerstunde, um sie zu wiegen und Lieder zu singen, bis Licht gemacht wurde, und Mutter Pillig hatte keine Schürze mehr an, in der Hanna das Gesicht verbergen konnte, Marie zum Trotz – Hanna war jetzt Besuch, zusammen mit Paul und Marie, die Mutter Pillig den Namen weggenommen hatte, es geht nicht, daß du sie weiter Mutti nennst, sag Tante Pillig, Aber Tante konnte Hanna nicht sagen, nicht zu Mutter Pillig, und so war die eine, die einzige namenlos geworden. Keine moosduftende Mulde mehr, keine schützende Laube – statt dessen begann die Zeit der Sommersprossencreme und lila Schleifchen im Haar, das neue Leben mit Mutter Gefälligst – so sitzt man nicht, setz dich gefälligst anständig hin. Kein warmer, molliger Bauch mehr – das werde ich mir merken, warte nur, was dir blüht, du wirst noch dein blaues Wunder erleben. Und das Wunder geschah, aus dem frechen Gör wurde ein folgsames Mädchen, welches das Mucken ließ, die Schleifchen ertrug und die stinkende Salbe und abends die Hände faltete, den lieben Gott zu bitten, was Marie ihr vorsprach, lieber Gott, mach, daß der Papi nicht in den Krieg muß. Der schöne Vater nicht in den Krieg, nicht totgeschossen werden, der schöne, lavendelduftende Vater. Bis in alle Zeiten wollte Hanna seine Gamaschen aufknöpfen und Märchen von ihm vorgelesen bekommen, die schwermütigen Märchen aus dem Norden, die Hanna noch liebte, als sie den Vater nicht mehr lieben konnte. Gemeinsam froren Hanna und Paul im Eispalast der Schneekönigin, fürchteten den Hund mit den Augen so groß wie Teetassen, noch mehr aber den mit den Augen so groß wie Mühlräder. Und dennoch – wenn aus dem häßlichen Entlein ein Schwan geworden war, herrlicher als alle anderen, wenn der Vater, nachdem er Hanna mein Puppchen genannt und zärtlich zugedeckt hatte, leise aus dem Zimmer gegangen war, kam es aus den Ecken,

eine Gestalt, viele, vielleicht doch nur eine, bewegte sich, war lebendig, hatte aber kein Gesicht, keine Stimme, nichts Bestimmtes, dunkel das Zimmer und Hanna allein mit dem, was da war und lautlos, nur da, und Angst machte, da war und wollte, erdrücken, die Luft abdrücken, wegnehmen, das Leben wegnehmen, und Hanna schrie, schrie mit dem ganzen Körper, und dann war es nichts gewesen, gar nichts, du hast bloß geträumt, und doch kam es wieder, immer wieder, und Hanna brannte die Kehle vom Schreien.
Nie mehr streckte Hanna der Mutter die Zunge heraus, es brauchte der Spiegel nicht mehr geholt zu werden, brav trug sie ihren Ranzen in die Schule und kam auch ohne Flecken im Kleidchen zurück. Wenn Hanna später ihrer aufmüpfelnden Tochter von früher erzählte, dann erklärte sie: Leichtsinnig war ich nie. Ich war ein vernünftiges Kind. Es waren ja auch ganz andere Zeiten. Kriegszeiten. Da gab es den fernen, den vom Kaiser geführten Krieg, der den Vater wegzuholen drohte und machte, daß einen ganzen Winter lang nur Kohl aufgetischt wurde, und den nahen, der machte, daß Paul den blauen Blick bekam und Marie eine scheppernde Stimme. Der die seltsame Stille im Berliner Zimmer machte und dann das Türenknallen und das erschrockene Zittern der Wände. Der machte, daß Paul achselzuckend im Herrenzimmer verschwand. Und Marie ihm Lümmel nachrief. Daß Paul die Brauen runzelte und etwas von jüdischer Schlampwirtschaft sagte. Und Marie die Lippen zusammenkniff, Pedant, du, kannst mir im Mondschein. Der machte, daß so viel Luft war zwischen den beiden, wenn sie sich gegenüberstanden. Hanna sah und begriff nicht, was sie sah. Warum der schöne Vater nervös an seiner Brille rückte. Warum Marie das spitze Kinn bekam. Warum Paul an seinen Koteletten zupfte und sagte, bitte keine Szene, Puppchen. Warum Marie schrill wurde und Paul sagte, Miriam, du bist hysterisch. Nichts begriff Hanna, nur daß Krieg war, und wenn Krieg ist, schließen sich die Haustüren und Fenster und die Fensterläden, und drinnen muß man leise sein, den Atem anhalten, wenn draußen die Geschütze donnern, sich nicht rühren in dem dämmerlichtigen Haus, bloß leben, überleben. Draußen saßen und tranken sie am Teetisch, von einer Olga war die

Rede, Paul hob beschwichtigend die Hände, räumte schleunigst das Feld, neben ihm schlug die chinesische Teetasse ein. Draußen lag schluchzend Marie auf dem Sofa. Da zog es Hanna hinaus, sie zu trösten, Marie aber war untröstlich, mein Puppchen, mein Puppchen. Und weihte Hanna ein in das Leben der Frauen, zählte sie auf, alle die Olgas, die Ilse oder Frieda oder Hertha, Sophie oder Hedwig Hinze hießen. Und trocknete ihre Tränen und sprach von der Liebe der Männer, den Schlittenpartien, dem Glöckchenklingeln und dem dumpfen Klock Klock der Hufe im Schnee. Und wo das alles geendet hatte. Und wie das war, allein in anderen Umständen. Und wie das war, beim Rechtsanwalt, bitte nehmen Sie doch Platz, Herr Graf, und kein Stuhl für Marie, Mariechen mußte stehen, die ganze Zeit, während der Vater die pekuniäre Frage regelte, eine Summe hinterlegte, eine anständige Summe. Aber das darfst du niemandem erzählen, hörst du, keinem Menschen. Und das andere auch nicht. Das, worauf der Alte anspielte, der scharlachrotgesichtige, der abscheulich nach Schnaps stinkende alte Feuerbach, wenn er Bemerkungen machte über die Blutsauger, das Lumpenpack, totschlagen sollte man sie alle. Beides nicht. Das eine nicht und das andere nicht. Keinem Menschen. Nicht deinen Freundinnen. Und ja nicht den Nachbarn. Gar niemandem. Für dich behalten, kannst du das? Und Marie schaute Hanna in die Augen: Hast du verstanden?
Hanna hatte verstanden. Und erzählte keinem, daß das ihr Bruder war, Rüdiger der Ferienbesuch, der Tante zu Marie sagte, ihr Bruder und ein Grafensohn, der Bauernjunge, der so schön Hochzeit mit ihr spielte und Marie gegen sich aufbrachte, wenn er Jieterzug sagte. Sie fand das entsetzlich gewöhnlich. Es heißt Güterzug. Sag Güüterzug.
Von der Liebe der Männer sprach Mariechen, und es geschah einer jener Augenblicke, in denen die Stimmen sich wie von selbst dämpfen und von einem zum andern tragen und alles gut so ist, wie es ist. Hanna und Marie hatten gemeinsam die Scherben der Teetasse weggefegt und knabberten kostbare Schokolade im Berliner Zimmer, als seien sie sich eben erst begegnet und hätten doch beide das Gefühl, einander schon ein Leben lang zu kennen. Hinter der Trauerfrau, der ewig

Gekränkten, traten andere Maries hervor, neue, nie gesehne. Es zeigte sich eine Gutmütige, Großzügige, maßlos Verschwenderische – hatte den Grafen gar nicht geliebt, es war bloß sein Geburtstag gewesen und sie hatte sonst nichts zum Schenken gehabt. Es trat die charmante Mutterfrau zurück hinter der Grienen, wus isse darr, die Bohnenstange – Mariechen hatte noch keinem Menschen erzählt von dem Sommerball in Wien, als das Jahrhundert kaum ein paar Monate alt war, die Nacht in den Armen eines schönen Rumänen durchtanzt, Titus Rostogan hieß er und verfolgte sie wie eine Melodie, die einem nicht aus dem Kopf geht, tagelang, bis er leibhaftig vor ihr stand, im Frack vor dem Burgtheater den Zylinder ziehend, sich freudig verbeugte und sie ihn nicht erkannte. Aber Mademoiselle, wir haben doch, erinnern Sie sich nicht?

Mademoiselle hatte darauf bestanden, sich nicht zu erinnern, mit Erstaunen im Blick und Kopfschütteln und allem, was dazugehört, und schon damals nicht und im Laufe der Jahre noch viel weniger begriffen, warum.

Es war ein schamhaftes und hochmütiges Herz, das sich dem Kind Hanna offenbarte, dem Kind, das zuhörte und wenig verstand und viel mitfühlte, bis irgendwann die Eintracht so leise ging, wie sie gekommen war, und Marie wieder Mutter Gefälligst, die durchaus nicht leiden konnte, wenn Hanna an ihrem Bleistift kaute.

Der Große Krieg ging zu Ende. Der Kleine dauerte fort. Wenn Hanna aus der Schule kam, lag Marie auf dem Sofa, hatte Rückenschmerzen, Magenweh. Und manchmal sagte Paul: Ich weiß ja gar nicht, ob das meine Tochter ist. Schlachten um Olga, Scharmützel um die sogenannte pekuniäre Frage. Zwischen den Fronten Hanna, sich selbst überlassen. Ein Brot kostete sechshundertfünfzig Millionen, ein Pfund Butter zwei Milliarden. Marie nahm wieder einen Posten an. Den Wohnungsschlüssel an einem Bändchen um den Hals, ging Hanna zur Schule. Ja nicht verlieren, hörst du? Das Schweigen der Wohnung, wenn Hanna aufschloß. Leer das Berliner Zimmer. Keine Marie auf dem Sofa. Die nicht enden wollenden Nachmittage. Schlimmer als Krieg. Die Fahrten nach Charlottenburg zu den Großeltern. Dort auch Krieg, aber ein wortloser. Die beiden sprachen nicht miteinander. Aßen jeder für sich. Sie hatte Eier. Er Zucker. Sie gute Butter. Jeder bewachte seins. Einmal schüttelte sie hinter seinem Rücken die Faust, flüsterte: Da steht mein Mörder. Schlimmer als das leere Sofa. Hanna fuhr nicht mehr nach Charlottenburg.

Eines Tages, als sie aus der Schule kam, war Besuch da, eine Matrone, die mit Hütchen auf dem Sofa saß, ihr die behandschuhte Rechte entgegenstreckte und jene Begrüßungsfrage an sie richtete, die Hanna, mit ihrem Elefantengedächtnis für gewisse Dinge, selbst als der Bauch ihrer eigenen Tochter sich zu runden begann, noch immer nicht vergessen hatte: Parlez-vous français? Die Dame war Maries Mutter. Sara. Eine ganze Kindheit lang sah Anna sie immer nur in dem einen Augenblick, da sie die brennende Petroleumlampe ergriffen hatte, um sie nach ihrem Mann dem Diamantenhändler zu schleudern – zu der Zeit, als Sara ihre Tochter heimsuchte, ein lange zurückliegendes Ereignis, das den Mann verscheucht hatte, zurück in die Tiefen Südafrikas. Sara hadernd und mittellos in Wien, keine Kutsche mehr, kein Mohr und nicht einmal ein Hutladen. Dann irgendwelche krummen Sachen, Schiebergeschichten, über die sie lieber schwieg, man wollte sie ausweisen, heim nach Galizien, da hatte sie sich ihrer Tochter erinnert und das erste Telegramm geschickt: Ankomme Sonntagabend halb sieben Görlitzer Bahnhof. Marie mit Magenkrämpfen auf dem Sofa, bis Paul am Abend *Geht nicht* zurücktelegrafierte. Marie lebte auf, dachte, der Kelch sei an ihr vorübergegangen, fuhr erlöst zu Werneckes, um Bridge zu spielen. Einige Stunden, bevor sich Saras Koffer und Hutschachteln in der Diele türmten, traf das zweite Telegramm ein: Wo gibt es das, daß eine Tochter ihre Mutter nicht aufnimmt? Wieder einmal mußte Hanna ins Haus, Türen Fenster Läden schließen. Draußen Saras Dragonerstimme. Die Butterbrotsteller fielen Marie aus der Hand. Zerschellten auf dem Fliesenboden. Die Gallé-Gläser. Die Sherrykaraffe. Paul schloß sich im Herrenzimmer ein. Konnte es nicht ertragen, wie Sara den Kopf hin und her wiegte. Nu, was mecht mer sagen. Und überall Saras Hüte. Paul soupierte im Herrenzimmer. Konnte es nicht ertragen, wie Sara ihre Suppe löffelte. Es machte ihn rasend. Und überall Saras Hüte. Er, der sich bald nicht mehr kannte, und sie allein mit ihrer Mutter, die Eizes gab. Mit ihrer Mutter, die außer sich war, darüber, daß ihre Tochter den Fußboden wischte. Meine Tochter. Pauls Räuspern im Herrenzimmer, und Marie, die sich in den Finger schnitt. Die Hand einklemmte. Und dann kam Sara aufgelöst aus Charlottenburg. Hatte ein Schnäpschen mit dem Alten getrunken, und der hatte ihr hämisch entdeckt, was Marie gerade vor ihr so lange gehütet. Sara wehklagend, meine Tochter, von einem Stiefelknecht, die Schand, und wollte nicht glauben, daß es der Graf selbst gewesen, und hielt sich die Backe, die Schand die Schand. Eines Tages wurde es still. Kein Wort sprach Sara mehr mit ihrer Tochter. Morgens um sechs verließ sie das Haus, grußlos. Grußlos reiste Mutter Sara.

In die Mädchenkammer hinter der Küche zog Emma ein. Mariechen hörte auf zu arbeiten. Meine Frau, hatte Paulus gesagt, der gut vorangekommen war auf seiner Laufbahn, meine Frau hat das nicht nötig. Rückenschmerzen, Magenweh lag Mariechen leidend auf dem Sofa. Unaufhaltsam lebte Paulus seinen tragischen Amouren. Treulos, aber ehrlich. Mariechen wußte. Wußte von Marga Wilma Mona Magda, den kleinen Nebenlieben, und um die eine große, Rosamunde. Und mit Mariechen wußte Hanna. Hannchen marieverbündet. Nicht mehr zwischen den Fronten. Mitfühlend, mitleidend, ausgezogen aus ihrer eigenen Haut, eingezogen in das Trauerhaus der Mutter, den Schmerz zu teilen. Ihr beizustehn. Für sie zu streiten. Gegen Marga und so weiter. Gegen das spießige Fräulein Rosamunde. Gegen die wahrhaft türkische Eifersucht des Vaters. Er war nicht der erste gewesen bei Röschen, und der andere hatte Wurzeln geschlagen in seinem Kopf und trieb dort kräftig aus, Tollkirsch und Teufelskraut, Fliegenpilz wie aus der Tiefe dunkler Tannenwälder, Nachtschattiges, das Schreckensbilder zeugte, Alpdrükken, Mahre, die keine Ruhe gaben, den Menschen verfolgten, quälten, rastlos umhertrieben. Abende verbrachte Paul gegenüber Rosamundes Haus, hoffte, wünschte, fürchtete, sie zu ertappen, stand stundenlang, ein Herr mit Monokel, Spazierstock und Gamaschen, elfenbeinfarben und mit dunklen Knöpfen, auf die er sehr stolz war, zeugten sie doch davon, daß der unnütze Bengel nicht am Galgen geendet, wie der Soldatenvater einst prophezeit, ein eleganter Herr in den Hauseingang gedrückt, während Mariechen daheim die Speisekammer nach etwas Gutem absuchte, sich mit Trüffeln von *Mankowski* ins Bett zurückzog und einen Liebesroman lesend zur Wohnungstür hinhorchte, ob da nicht bald ein Schlüsselklappern zu hören war. Und nebenan plärrte das Grammophon los, es war einmal ein treuer Husar, und Marie sprang aus dem Bett und riß die Tür auf, gefälligst nicht so laut. Es tönte leiser, aber nicht leise genug, Puppchen, du bist mein Augenstern, und Marie sah nicht ein, warum sie sich alles bieten lassen sollte. Treib es nicht zu weit. Marie hager, hochaufgerichtet, vor dem unerträglich rothaarigen, sommersprossigen und schlaksigen Backfisch, der ihre Tochter war. Und auch noch schnippisch. Feines Früchtchen. Werde ich mir merken. Hanebüchene Unverschämtheit. Hanna, die sich rechtfertigte, alles erklärte. Marie nicht mehr ganz so groß, aber weiter verbiestert. Kannst du dir schenken, kann ich mir nichts für kaufen. Hanna wortreich beschwichtigend. Plötzlich das Umkippen. Mariechen klein, Mariechen kläglich. So unglücklich, mein Puppchen, mein Puppchen. Hanna, die nichts begriff, nur fühlte, daß es ihre Schuld war. Auf undurchsichtige Weise sie verantwortlich. Alles anders, wenn sie nur anders. Wollte sich bessern, gut sein. Es der Mutter nicht noch schwerer machen.

Die Sonntage hatte Rosamunde ihren Eltern vorbehalten. Obwohl Hanna damals schon das Zauberwort Vernunft erfunden hatte und sich damit so manches vom Leibe zu halten wußte, schnürten ihr die Tränen, die sie ihren Vater eines Sonntag abends, nachdem er Posten gestanden, um der scheinbar treulosen Rose willen auf dem Sofa weinen sah, zeitlebens die Kehle zu. Der Vaterleib, noch im Zweireiher, von Schluchzen geschüttelt, in sich zusammengestürzt der festgefügte Mann, nichts mehr von Mumm in den Knochen,

Anstand im Leib, das Batisttaschentuch zerknüllt in der Faust. Mariechen so apathisch, als ob er gestorben wäre. Hanna sah weg und fühlte Verachtung und schämte sich der Verachtung, hörte das verzweifelte Weinen und fühlte Mitleid und sagte sich, er verdiene es nicht, dachte, selber schuld, und schämte sich der Schadenfreude. Und zog sich tiefer in ihr Haus zurück, ließ sich eine Pagenfrisur schneiden und wurde Männern gegenüber noch schnippischer, noch kampflustiger. Selbst ein halbes Leben später, wenn Mariechen in ihrer Daunenhöhle von der Zeit mit Paul sprach, wobei ihre Augen aufleuchteten wie ein von den Strahlen der untergehenden Sonne getroffener Abendhimmel, fühlte Hanna noch immer den Phantomschmerz der Verletzungen, die ihre Mutter einst erlitten. Und erinnerte sich nur undeutlich, daß sie damals, sobald die Mutter das Zimmer verlassen hatte, den Vater plötzlich unbedingt trösten wollte, eine Idee hatte, die Idee, wie alles gut werden könnte. Verreisen. Wegfahren. Hanna und Paul zusammen, Hanna würde trösten. Reisen sollte der Vater mit der Tochter und ohne die Mutter, ganz allein, nur wir beide. Und Paul lächelte und wischte sich die Tränen aus dem Gesicht. Und Hanna war enttäuscht und wie verlassen, als er tatsächlich fortfuhr, aber ohne sie und sich tröstete, aber nicht mit ihr.
Und doch wurden Hannaundmarie nicht müde, Anna von ihm zu erzählen, Paulus oder Paulchen, je nachdem – bei den Gesprächen der Frauen am Abend trat er aus dem Dunkel in den Lichtschein des Feuers, mal weltmännisch den Spazierstock schwenkend, mal den Terrier Johnny an der Leine. Schade, daß du ihn nicht mehr kennengelernt hast. So lebenslustig, so zärtlich. Und gar nicht spießig, hätte dir gefallen. Nur ein bißchen ängstlich. Fürchtete Gewitter, fürchtete Spinnen, auch Hunde, Hannchen einmal vorgeschoben, einem Kalbsköter entgegen. Fürchtete Bazillen, fürchtete Einbrecher – Paulus, wie er auf Reisen unters Hotelbett schaute. Und immer Angst um seine Brille. Und um seine Ehre. Die Sache mit der Ohrfeige. Davon erzählte Hanna aber nur, wenn sie mit Anna allein war.

Zu der Zeit, da der namenlose junge Mann, den Paul um seiner Ehre willen geohrfeigt, auf Anna kam, war er vielleicht schon tot, gefallen, und wenn er lebte, bestimmt zahnlos, vielleicht ein freundlicher Großpapa, aber in der Waldstraße unter dem Dach noch immer jung, blutjung, mit Mariechen tanzend, der Presseball im Zoo sein erster Ball, das erste Mal im Smoking, mit Mariechen Tango tanzend, hörst du die leise Musik, als Paul ihm unversehens jene Ohrfeige verpaßte, in dem Glauben, es sei der, der Mariechen auf die Schulter geküßt, was sein Freund van Dyke mitangesehn und ihm aus Pflichtgefühl vermeldet. Mehr als alles andere habe ich ihm das übelgenommen, sagte Hanna, immer noch empört, wie er Mariechen abführte, zur Garderobe, dem Fräulein die Marke reichte, Mariechen den Mantel in die Hand drückte und dazu Madame sagte. Eine knappe Verbeugung, und er war in der Menge verschwunden. Mariechen aber hatte zu Fuß nach Hause laufen müssen, den ganzen Weg vom Zoologischen Garten. Und Paul hatte sich scheiden lassen wollen, eben wegen seiner Ehre, und Mariechen todunglücklich, bis van Dyke auf Ehrenwort zu schweigen versprach. Und Mariechen wieder froh. Aber nicht lange. Rosamundes Vater wollte nicht mehr dulden, daß sein Kind sich quälte, hatte, von Emma ins Herrenzimmer geführt, eine Unterredung mit Paul. Scheidung oder Schluß. Paul in einem heiklen Seelenzustand. Wollte die eine, wollte die andere. Und wieder wußte Mariechen. Wußte alles. Davon war bei den Gesprächen der Frauen am Abend nie die Rede, und erst nachdem Hanna und Anna im Nieselregen langsam hinter dem Mann mit dem Zylinder hergegangen waren, der in der einen Hand die Urne mit Mariechen und in der andern einen großen schwarzen Schirm getragen hatte, erzählte Hanna, wie Mariechen Paul dann verlassen hatte, weit weggefahren war, ans andere Ende der Republik, nach München. Wie sie dort bei einer Freundin gewohnt und aus ihrem Exil melancholisch Anteil genommen hatte an dem Leben, das weiterging in Schöneberg, und wie sie, kaum, daß sie vier Wochen weg war, angefragt hatte, ob die Wohnung eigentlich feuerversichert sei, es könnte ja mal brennen in der Helmstedter Straße. Und wie sie nach vier

Monaten heimgekehrt war, um ihrem Paule die Apfelleber zu braten, die er sich gewünscht hatte in seinem Kommzurückbrief. Mit feingeschnittenen Zwiebeln.

Nie war die Hexe zufrieden. Schon lange lebte das Mädchen mit ihr in dem finstern Wald, der keinen Anfang hatte und kein Ende. In ihre armseligen Lumpen gehüllt, schlurfte die Alte gebeugt umher, brummelte vor sich hin, und das Mädchen mußte ihr dienen. Sie aber war nie zufrieden. Wollte sie Feuer im Herd machen, so befahl sie: Hol mir Brennholz. Und das Mädchen ging hinaus aus der Hütte, in der es mit der Alten wohnen mußte, und las Zweige auf in dem stillen Wald, in dem kein Wässerchen plätscherte, kein Vogel sang, bloß der Wolf hungrig umherstreifete, und eilte mit dem Reisig im Arm zurück in die Hütte, wo die Hexe es ungehalten empfing: Zu klein, brennt viel zu schnell, hättest du nicht? Doch wenn das Mädchen dann von weither mühsam einen dicken Ast herbeischleifte und sich ausmalte, wie es die Tür aufmachte und die drinnen sich aufrichtete, die Hände an der Schürze trocknete, die Arme ausbreitete und mein liebes Kind sagte, warf die Hexe Hättsdunich einen Blick auf den Ast und murrte: Viel zu groß. Wie soll denn der in den Ofen? Und drückte dem Mädchen einen Korb in die Hand und befahl: Geh, pflücke mir Himbeeren. Bis zu den Himbeersträuchern war es weit, aber im Walde duftete es herrlich, der Boden unter den Füßen war weich und der Wolf weit weg, und als das Mädchen zu der Lichtung kam, tanzten Zitronenfalter in der Sonne, der Kuckuck rief aus dem Gebüsch, überall sirrte brummte summte es, und die Hände färbten sich rubinrot von den kleinen flaumigen Früchten, die sich ganz leicht abzupfen ließen. Das Mädchen dachte nicht mehr an all das Ungemach, das es bei der Hexe auszustehen hatte, vergaß sogar die Sehnsucht nach der Vorzeit, als es noch nicht verschleppt worden war in die Hütte der Alten, die womöglich gar keine Hexe war, sondern bloß verzaubert und nicht wirklich böse, nur verbittert, weil sie eine Hexe sein und fern den Menschen leben mußte. Der Korb war fast voll, und das Mädchen fühlte großes Mitleid mit der armen alten Frau, da knackte es im Gebüsch, der Wolf, herangeschlichen, lauerte

irgendwo ganz in der Nähe. So schnell die Beine trugen, lief das Mädchen den langen Weg zurück, ohne sich ein einziges Mal umzusehen, stürzte atemlos in die Hütte, und die Alte warf einen Blick in den Korb: Die sind aber klein. Hättest du nicht größere finden können?
Das Mädchen horchte nach draußen, ob der Wolf um die Hütte schlich, dieweil die Hexe Hättsdunich den Korb dicht vor die Augen hielt, denn sie sah schlecht, und es war dämmrig in der Hütte, und doch entdeckte sie Maden und machte ein unzufriedenes Gesicht, die Hexe Hättsdu und Hättsdunich, Wärsdu und Wärsdunich. Wärest du nicht ein solches Kind, dann, ja dann. Anna rechtfertigte sich. Umsonst. Es nützte alles nichts, Hanna fragte bloß: Siehst du das nicht ein? Das mußt du doch einsehen.
Anna zog sich in die Küche zurück, um zu trotzen und trübsinnig aus dem Fenster zu sehen. Zu nichts Lust. Der Wasserhahn blöde tropfend. Das glatte Schieferdach gleichgültig in der Sonne glänzend. Bald Abend, bald Essen. Kein Hunger. Alles so langweilig. Die Fensterbank splittrig, die Farbe abgeblättert. Alles so häßlich. Lustlos holte Anna das Seifenschälchen, tauchte den Ring in die Lauge, blies hinein – schillernd löste sich die erste Seifenblase, schwebte über das Dach, zerplatzte an der Regenrinne. Immer wieder tauchte Anna den Ring ein, hauchte und sah zu, wie die Zauberkugeln dahinzogen, zergingen, wenn sie auf das Dach trafen, einen feuchten Fleck hinterließen, der schnell trocknete, gleich lag der Schiefer wieder blaugrau schimmernd wie vorher. Eine große, die das Fenster widerspiegelte und, von einem Sonnenstrahl getroffen, in den Farben des Regenbogens erglänzte, flog, von einem kaum spürbaren Wind getragen, langsam über die Dachrinne hinaus, über die Tanne hinweg. Weit beugte sich Anna aus dem Fenster, aber es war nichts mehr zu sehen, in der Luft geborsten. Heftiger blies Anna, mehrere hintereinander verließen eilig den Ring, zerschellten aber schon an der Fensterbank. Anna machte neue, mit ihrem Atem Wunder um Wunder aus der schmuddeligen Lauge, vergessen die Hexe Hättsdunich, im Mund den Seifengeschmack, an den Händen das Seifenwasser, und nicht eine der anderen gleich, wie aus hauchfeinem Glas, zarte Weltenkugeln, die sich tra-

gen, drehen, schaukeln ließen, ein paar Herzschläge lang und dann lautlos zersprangen.
Ein Wind erhob sich, fortgewirbelt wurden die Kugeln, am Himmel eilten die Wolken, und es mochte wohl sein, daß Er nahe war, der eine der einzige, ganz nahe, gleich da sein würde, auf seinem Schimmel Wolkenweiß heruntergekommen von den Bergen, Anna zu befreien und mit sich zu nehmen in sein Lager, Zelte unter Bäumen, brennende Feuer, dahin gehörte Anna, zu denen, die ausgezogen, für Freiheit zu kämpfen und für Gerechtigkeit, den Reichen zu nehmen, den Armen zu geben – Anna aufrecht am Fenster, größer geworden und schöner viel schöner, erhobenen Hauptes, aber nicht hochmütig, nur unbeeindruckt von den mißbilligenden Mienen Frau Meisters, der leidenden Stimme, wenn sie Anna sagte, du hast dir die Schuhe wieder nicht abgeputzt, unberührt von der schweigenden Mißachtung der Schröder Köhler Pfeiffer Ziegler und Schuhmacher, denen würden die Augen übergehen, tuschelnd hinter ihren Tüllgardinen, hätten wir das gewußt, hochaufgerichtet Anna am Fenster, hatte schon allen alles verziehen, während sie Ihm entgegenblickte, ganz ruhig nun, da es geschehen sollte, nachdem sie einander so lange gesucht. Der Worte bedurfte es nicht. Wie selbstverständlich zügelte Er sein Pferd, streckte ohne Hast den Arm aus, für Anna und nur für Anna, so wie er Augen hatte einzig für Anna, Augen, die schimmerten wie das Meer, wenn die Sonne durch Abendwölkchen auf das Wasser scheint, und ringsum wurde es still, langsamer zogen die Wolken, kein Vogel sang mehr, und Anna fühlte seinen starken Arm, der sie aufhob, ohne Zögern, ohne Fragen, Anna auf dem Pferderükken, die Arme um seinen Leib geschlungen, an seinen Rücken geschmiegt, so konnte ihr niemand mehr etwas anhaben.
Gerade hatte Er dem Schimmel die Zügel schießen lassen, sie waren im Galopp davongeflogen, und Anna hatte beschlossen, nicht zurückzublicken, als Hanna hereinkam, um Teewasser aufzusetzen. Abendbrotzeit. Tischdecken. Teller, Tassen. Tomaten. Zwiebeln, Quark anrühren. Der Kessel pfiff. Hanna hastete hin und her. Die Himbeeren waschen. Aber gründlich. Reintragen. Nicht fallen lassen. Das Nachthemd aufgeknöpft, lag Mariechen launisch. Hanna aufsprin-

gend, Mariechens Cervelatwurst vergessen. Hanna die Fliegen verscheuchend, weg weg. Hanna aufspringend, Servietten vergessen. Der Himmel hatte sich zugezogen. Es wird doch kein Gewitter geben? Schling nicht so. Stopf nicht so. Die ersten Regentropfen ließen die Blätter des Ahornbaumes rascheln.
Etwas fehlte Mariechen. Mariechen verzog das Gesicht. Mariechen hatte Schmerzen, furchtbare Rückenschmerzen. Sah Anna flehend an, aber Anna tat, als ob sie nichts merkte. Mariechen ächzte. Einen Augenblick lang war Anna versucht, immerhin zwanzig Pfennig, doch nein, hatte jetzt wirklich keine Lust. Mariechen gab nicht auf, spitzmäulig schmeichelnd, ach Ännchen, drängte, ich geb dir was dafür.
Auch viele Jahre später noch, als Anna auf der Suche nach der dreizehnten Fee von einem Brunnen zum andern zog und nie auf Grund blickte, sondern, immer wieder genarrt, bloß auf schleimig-grünen Froschlaich, wußte sie nicht, warum sie es dann doch getan hatte, an jenem regnerischen Sommerabend und davor und danach, unzählige Male, ob es das Mitleid mit der Menschheit war oder die zwanzig Pfennig, das Verlangen, gut zu sein oder etwas anderes, Unbestimmtes, ein Sichziehenlassen, seltsam widerstandslos werden, Treibholz oder Blatt im Wind, vom Baum gefallen, aufgehoben, fortgetragen. Der hingegebene Nacken mit dem grauen Haar, die dunkle Ahnung ihrer greisen Lust. Wohlig stöhnend lag die Großmutter auf dem Bauch, das Nachthemd bis zum Hals hochgeschoben, und gab Anweisungen, weiter unten, nein, nicht so weit, da, ja ja, da. Der knochige alte Rücken. Fester, sagte Marie, und Anna walkte die welke Haut noch einmal so fest, und Marie jammerte auf, empört. Die Zeit dehnte sich, das in das Kissen gedrückte, gequetschte Profil der Großmutter mit den geschlossenen Augen und dem offenen Mundloch – Anna sah weg, betrachtete die kleine silberne Truhe und das Mensch-ärger-dich-nicht-Spiel auf dem Nachttisch, roch den kalten Rauch aus dem Aschenbecher und das Muffige, Abgestandene, das dem Körper der Großmutter entströmte, knetete die zuckende Schulter, die Finger begannen zu schmerzen, überlegte, wieviel Zeit schon vergangen war und wieviel noch vergehen müßte, hörte Hannas Schritt auf dem Flur, mit

einem Hoffnungsschimmer und einem vagen kleinen Schuldgefühl, hörte Hanna hereinkommen und vorwurfsvoll Aber Mariechen sagen, Marie gepreßt in das Kissen hineinmurmeln: Nur fünf Minuten.
Hanna ging wieder hinaus, und Anna dachte, sie würde diesmal schneller davonkommen. Die Hand schmerzte schon bis in den Arm hinauf, bald, gleich würde Marie sagen, so, jetzt bist du erlöst, und Anna würde ihr das fleckige Nachthemd wieder über den krummen weißen Rücken ziehen, und dann raus, auf den Handflächen die Schuppen von Maries Körper, schnell zum Spülstein, die Hände waschen, bloß schnell die Hautreste des ausgetrockneten alten Körpers loswerden.
Als sie zurückkam, tastete Marie das Bett ab, drehte das Kopfkissen um. Wo ist mein Portemonnaie? Und sah Anna mißtrauisch an. Fuhr mit den Fingern in die Ritzen zwischen Matratzen und Bettkante, eben war es noch da. Und sah Anna anklagend an. Es fand sich, das verlorene Portemonnaie, wie sich alles fand, was Marie ungehalten suchte, irgendwo zwischen den Bettfalten, halb verdeckt von der erkalteten Wärmflasche, und Mariechen zärtlich strahlend, komm her, mein Puppchen.

Ohne Marie, ohne Paul tat sich Hanna ein neuer Garten auf. Am Ende einer Pappelallee, über den Hügeln von Lausanne, im Château de Margot blühten Höhere Töchter mit Rosenteint und einem Hauch von Rouge auf den Wangen, in Charmeuse und Crêpe de Chine, blaß bleue wie die Morgendämmerung, anisgelb oder morbide schwarz, mit Bubikopf und Schmachtlocke, einen Tropfen Chanel No 5 am Ohrläppchen, schwofend zum dumpfbeschwingten Dröhnen des Grammophons, Charleston oder Black and White bottom, beschwipst von einem Gläschen Mousseux, Zigaretten rauchend für den Fotografen, aus langen schwarzen Spitzen, zum Zeichen ihrer Verruchtheit – Helma, Hilde, Hedda, Mine, die Aparte mit dem Silberblick, und Rike, Friederike Leube, mit den fabelhaften Beinen, junge Damen aus gutem Hause, ausgelassen unter den Fittichen von Madame Fleury, die mit dem Gesicht eines gealterten Schwans darüber wachte, daß Les Demoiselles sich mit Anstand amüsierten.

Vormittags Französisch, nachmittags Tennis, Hanna, ungeschickt und ohne Brille, die Bälle verfehlend, mit Huch und Hach und Monsieur Merle, dem geheimen Wort für Merde, Hanna, Magda und Clarissa, aus der in Lausanne eine Claire geworden war, eingehakt und mondän dalbernd mit keck schwingenden Röcken die Allee hinunter in die Stadt oder zum See auf eine Kahnpartie mit André, dem Bahnwärterssohn, Hanna mit knabenhafter Anmut und habsburgischer Unterlippe in der Mitte zwischen Magda und Claire, ängstlich geradeaus blickend, im schlichten Bubenkleid, mit Schlips und Monokel, und abends Beine enthaaren und Frucht's Schwanenweiß gegen die Sommersprossen oder klopfenden Herzens aus dem Fenster gestiegen, um unterdrückt kichernd Verbotenes zu tun, mit Lucien in Monsieur Fleurys heiligem Benz zum Théatre de Lausanne, Lucien mit Clarissa poussierend, nur Hanna wußte, daß Claire sich eigentlich nichts aus ihm machte, ihn bloß amüsant fand und flott, wie er den Hut so schräg trug, aber gerne fuhr sie im offenen Automobil, seinen Arm um ihre Schulter, und dann Pola Negri im dunklen, mit rotem Plüsch ausgeschlagenen Saal, Asta Nielsen, Fritzi Massary und Conrad Veidt, über den Hanna und Clarissa sich verzankten, weil Hanna, nüchternen Sinns, ihn nicht dämonisch finden konnte, bloß drollig, ein ulkiger Knabe, dein Veidt.
Bedächtig steckte Hanna das allabendliche Stückchen Laxin Konfekt in den Mund und begriff nicht, warum Clarissa eingeschnappt war. Sei doch nicht so. Ich bin nicht so, du bist so. Ich habe ja nur gesagt. Und Hanna erklärte ausführlich, was sie gesagt und warum, beredt und lebhaft überzeugt, Clarissa müsse bekehrt und zur Einsicht gebracht werden, und konnte nicht fassen, daß Clarissa nicht einsehen wollte und sie nicht mehr Jeanne nannte, mon amie, sondern Zimtzicke blöde. Am Ende waren sie entzweit, die Freundinnen, die Betten auseinander geschoben, drei Tage lang aneinander vorbeigeschaut, nicht ein Wort richtete die eine an die andere.
Wenn sie später auf ihre verhaltene Art schwärmte von der unbeschwerten Zeit in der französischen Schweiz und Anna wissen wollte, warum sie sich dann aber verkracht hatten, erklärte Hanna mit ihrer weichen, warmen, wohlklingenden Stimme: Clarissa war eben ein bißchen oberflächlich.

Beide Mädchen schrieben ihren Eltern und beschwerten sich, Clarissa über Hanna – muß an allem rummäkeln, immer alles mies machen, Hanna über Clarissa – ist doch eigentlich doof. Und greulich pomadig. Hanna, die noch nichts davon wußte, daß Madame Fleurys Mädchenpensionat in ihrer Erinnerung einmal ein Garten werden sollte, einer von den wenigen, die es in ihrem Leben gegeben hatte, meldete Magenschmerzen nach Hause, verschwieg jedoch, daß diese besonders dann auftraten, wenn sie Clarissas nölige Stimme hörte oder sie im Salon sah, hingegossen auf der Ottomane, lässig flirtend mit Lucien Fleury, schwieg, weil sie selber es kaum wahrnahm, auch darüber, daß es ihr auf die Nerven ging, wie Clarissa alles, was ihr zuflog, als selbstverständlich hinnahm, Luciens kleine Dienste, Andrés ergebene Bahnwärtersohnsblicke, die reifen Ritterlichkeiten Monsieur Fleurys, wenn Madame nicht dabei war, und hätte, selbst wenn sie es gewollt, erst recht nichts darüber sagen können, was sich, verborgen hinter der Tapetentür, im Schummer ihres Trauerhauses austobte, nichts über die uneinsichtige, gutem Zureden unzugängliche unheilige Wut darüber, daß Clarissa ganz bei sich selbst war, nicht nachzudenken, sich keine Gedanken zu machen brauchte, nicht gut war, gerecht und ehrlich, nicht einmal anständig und dennoch bloß da zu sein und ihre Perlmuttzähne zu zeigen brauchte, die Märchenaugen aufschlagen und einen Blick erwidern, und schon lag ihr wieder einer zu Füßen.
Genauso wenig wie Hanna darum wußte, daß sie beim Nachdenken zwei Finger über die Nasenwurzel legte, um den Zinken wenigstens für Augenblicke ungesehen zu machen, glaubte sie daran, daß sie je mit Clarissas Schönheit hadern könnte, und stellte, überzeugt, diese hinzunehmen, wie man Gegebenes hinzunehmen hat, nämlich vernünftig, frei von häßlicher Scheelsucht lediglich sachlich fest, daß Clarissa doch ein verwöhntes Dummchen war, reichlich egoistisch und wahrlich alles andere als originell, verwunderte sich nur, schon vor den Tagen des Zwists und auch noch danach, da sie, von einem Augenblick zum nächsten mit Claire versöhnt, wie vorher an ihren Herzensangelegenheiten Anteil nahm, als wären es ihre eigenen, wunderte sich nur immer wieder, daß

Männer auf so etwas hereinfielen, und konnte sich einer leisen, durch Mitleid gemilderten Verachtung nicht erwehren, einer Verachtung, die mehr den Männern galt, obwohl oder weil sie nun lange genug wußte, daß die so waren, als Clarissa, die im Grunde nichts dafür konnte, daß sie die Oberflächlichkeit einer Wasserspinne hatte. Dafür war sie mit dem leichten Sinn begabt, dem sorglos leichten, der sie im Garten tanzen machte, ganze Nächte auf ihre etwas pomadige Art, noch saftig blühend im Morgengrauen, wenn alle anderen schlaff die Blätter hängen ließen. Mit Hanna allein mochte sie dann ein bißchen weinen, selbst das noch dekorativ (keine rote Nase), es quollen einfach dicke Tropfen aus den Blaueblumenaugen, jedoch nicht lange. Von Hanna getröstet, war sie bald wieder fröhlich frivol, mit der Puderquaste nölend vor dem Spiegel, verrenkte sich den Hals zur Begutachtung ihres Derrière – ein dicker wäre dégoûtant gewesen. Erleichtert, daß sie keinen solchen hatte, nahm sie Hanna bei der Hand und zog sie hinaus, trällernd die Allee hinunter. Geweint hatte sie nur, weil sie Mal aux pieds bekam. Hanna wußte, was das hieß, litt auch an Schwermut, wenn es bei ihr soweit war, und hatte Verständnis und bedauerte die Claire. Und abends wurde getauscht. Hanna in Clarissas Nachthemd, nilgrüne Naturseide, Clarissa in Hannas schlichtem Schlafanzug, so zupften sie sich gegenseitig die Augenbrauen, und dann las Claire aus *Mitsou* vor, wobei Hanna immer einschlief. Und morgens die Seidenstrümpfe vorsichtig aufgerollt, jede ein Bein lasziv auf den Stuhl gestellt und mit den Lidern geklimpert wie ein Vamp, une femme fatale, eine männermordende Weibsbestie.

IV
Froschkönig

Die Heizung blubberte. Draußen war es schon dunkel, die Fenster geschlossen, die Vorhänge zugezogen, der eine nicht ganz, da schimmerte, vom Licht der Straßenlaterne beleuchtet, der Schnee auf den kahlen Zweigen des Ahornbaumes. Anna hatte den Arm auf Hannas Bauch gelegt, den Ärmel des Nachthemds hochgehoben, und Hanna streichelte. Gedankenlos aufgehoben in der Muttertierwärme, dem Vor-Gewitter-Geruch. Als Hanna aufhörte zu streicheln, öffnete Anna die Augen und maunzte flehentlich protestierend. Da streichelte Hanna weiter, Anna befriedet und gestillt, Hanna dagegen schwankend, unentschlossen, ob sie nun sollte oder nicht. Anna noch wohlig hingegeben, während die Mutter, zögernd vor dem, was sein mußte, sich endlich überwindend und tastend ein Wort vor das andere setzend, schon die Enthüllung vorbereitete, die für Anna immer mit jenem Winterabend und der Schafstallwärme des Betts verbunden bleiben wollte und doch wieder ganz anders ablief, als sie es später erinnern sollte, weniger bedeutungsträchtig, und auch keine lange Tirade nach Hannas Art. Eher kurz und bündig weihte Hanna ihre Tochter sachlich ein in das Leben der Frauen, ohne dabei die Vorstellung zu verletzen, das Annakind sei ein Empfangenes, ein nur Empfangenes, kein Gezeugtes. Und Anna merkte nicht einmal, daß Hanna aufhörte zu streicheln, horchte auf die einhüllende Stimme der Mutter, auf dem Stuhl am Bett ihre Kleider, obenauf das Leibchen, lachsfarben, lose baumelnd die Strapse, horchte gespannt und verstand doch nichts. Und fragte, wie? etwas atemlos und ohne Hanna anzusehen. An der Wand über dem Sofa floß der Fluß, Frauen wuschen am Ufer, wo ein Kahn halb ertrunken im Wasser lag. Wie denn nun? Hanna, auch ein wenig atemlos, rettete sich in einen schonenden Vergleich. Schlüssel und Schlüsselloch. Anna verstand immer noch nicht. Hanna mußte nachhelfen. Was macht man mit dem Schlüssel, wenn man aufschließen will?

An der Wand über dem Sofa fuhr der heimelige Planwagen über die schwefelgelbe Brücke, und Anna sah etwas, was sie noch nie gesehen hatte: es klaffte ein Spalt, genau in der Mitte der Brücke. Anna nahm den Arm von Hannas Bauch. Wie lange war das her, daß Karin Kremer auf dem Schulweg, es war Ecke Hollerbergstraße und Herdweg, angeberisch behauptet hatte, die Kinder kämen davon, daß Mann und Frau sich nackend aufeinander legen? Damals eine häßliche Lüge. Still lag Anna neben der Mutter, die ohne Brille vor sich hinschaute. Die Brücke war eine Zugbrücke und wurde gerade hochgezogen. Auf der einen Seite des Spalts der Planwagen, auf der andern das Pferd, würden beide in den Fluß fallen. Schlüsselloch, ganz allein, keine Hanna mehr da, Schlüssel, der Mann im Wald mit seinem fleischigen Pfahl, auf der Bank, Anna und Julie hatten ihn ertappt, auf der Bank vor der Wiese. Er war fortgelaufen, und Anna und Julie hinterher, durch den Wald, durch das Unterholz, hinter dem flüchtenden Verbrecher her, ihn zu jagen, ihn zu stellen, der Polizei zu übergeben mit seinem verbotenen Pfeiler. Dieser Riesenpflock in Anna rein? Niemals. Dann eben keine Kinder kriegen. Anna nicht aufgeschlossen werden mit dem grauenhaften Pfeilerschlüssel.

Das Tor jenes von Madame Margot mit französischer Milde beaufsichtigten Gartens hatte sich hinter Hanna geschlossen, am Görlitzer Bahnhof warteten die Väter und Mütter, ihre und Clarissas und Magdas, es gab einen etwas hastigen Abschied unter wohlwollenden und leicht ungeduldigen Elternaugen, Mariechen strebte der U-Bahn zu, fragte, freust du dich, mein Puppchen? Und schon war auch Hannas zweiter Garten in legendäre Zeiten entrückt.
Hanna war draußen. Hanna war wieder drinnen, zu Hause, bei Paul und Marie, die eben noch, in den Briefen an ihr Puppchen, ihr Kleines, ihr fernes Mädchen, so verträglich erschienen waren, fast weise geworden. Heimgekehrt war Hanna in die Gereiztheit, mit der sie groß geworden war wie mit ihrem rechten und ihrem linken Arm. Konnten nicht anders, die beiden. Er mußte sich über die jüdische Schlampwirtschaft ärgern, drinnen in seinen vier Wänden, und draußen, wo er seinen Mann zu stehen hatte, die verfluchte Judenwirtschaft. Sie mußte auf dem Sofa liegen, leiden, Magenschmerzen, Rückenweh oder, wenn er verreist war, Halsweh, Husten, Angina, und selbst dann noch mußte sie Anzeigen aus der Zeitung vorlesen, für Sommersprossencremes, mit

krächzender Stimme, meinte es wirklich nur gut – so leicht, auch Ihnen zu helfen, Pohli, fünftausend Dankschreiben. Und Hanna – Hanna mußte sich ihrer Vernunft bedienen, wieder einmal, sich nüchtern klarmachen, daß man kein neues Leben erwarten kann, bloß weil man ein Jahr in einem Schweizer Mädchenpensionat gewesen, paßte sich gefügig ein in den Spalt zwischen ihm und ihr, suchte zu vermitteln, zu binden, erklärte ihm, warum sie so und so, erklärte ihr, warum er so und so, drängte ihn sanft, drängte sie, forderte, forderte von beiden, doch nichts für sich selbst, Einsicht forderte Hanna, mußt du doch einsehen, Verständnis forderte Hanna, eine streitbare Garçonne, spröde und rothaarig, mit Bubikopf und Monokel im Auge, so begleitete sie Paul auf die Bälle der Zwanziger Jahre, seine Tochter, auch wenn der kleine Zweifel geblieben war, doch Puppchen, du bist mein Augenstern, tanzte mit ihm, herb und knabenhaft und mit einem undeutlichen Gefühl der Untreue, des Verrats gegenüber der Mutter, die zu Hause geblieben oder Bridge spielen gegangen war, weil sie ja doch nicht tanzen konnte, steif wie ein Brett, wenn Hanna ihr den Foxtrott, den Charleston beizubringen suchte, drinnen, zu Hause, beim Scheppern des Grammophons. Draußen tobte sich, schon etwas verzweifelt, der leichte Sinn aus, auf Teufel komm raus tändelte auch Clarissa, für Hanna immer noch Claire und das, was geblieben war von dem verlorenen Garten, drinnen Mariechen mit ihrer zeitlosen Wut, wie ein hagerer Racheengel stand sie unter der Unbekannten aus der Seine im Herrenzimmer und nannte Paul einen lackierten Affen, draußen Clarissas Elternhaus, die aparte Mutterdame, die sich elegant und ein wenig pomadig durch ein schick gediegenes Meublement bewegte, vor der Tür das Maybach-Cabriolet und der Chauffeur Anton, der niemals den Wagenschlag öffnete, ohne die Mütze zu ziehen vor dem mal mehr, mal weniger dankbar nickenden Herrn Direktor. Weiter draußen, weiter weg, aber immer noch in Berlin und nicht nur in Berlin, gab es leere Mägen und geballte Fäuste, drinnen, in ihrem Mädchenzimmer, schrieb Hanna Geschichten, altkluge, weltkluge, nebenan heiratete Lotte Pillig, heiratete heulend, hatte einen anderen gewollt, doch jener war ein Luftikus, und dieser war solid. Auch um

Hanna mühte sich einer. Einer, der es ernst meinte. Leo Rosenstein aus Czernowitz, geduldig und byzantinisch ergeben – mitleidig nahm sich Mariechen mit einer Spur von Koketterie und herausforderndem Charme des armen jungen Mannes an, den ihre Tochter sich so grausam nüchtern vom Leibe hielt. Später, viel später, bei den Gesprächen der Frauen am Abend, wenn nach Quarkbroten und Kathreiner-Kaffee die Rede darauf kam, wie das war, vor Annagedenken, und die Kleine, die groß geworden war, größer als Hanna und längst nicht mehr wissen wollte, ob die Märchen wahr sind, warum die Hexe der kleinen Seejungfrau die Zunge abgeschnitten und was sie dann damit gemacht hatte, auch nicht mehr zu fragen brauchte, wo die Kinder herkommen und wie das war, in Hannas Bauch, sondern eine andere, eine irgendwie verbotene Neugier verspürte, hören wollte von den, von Mutters Männern, dann gab es keinen Rosenstein, sondern bloß eine Nase, der ganze Mann war nichts als ein gewaltiger, aus dem Gesicht herausspringender Buckel, den Hanna einst, im Romanischen Café, während die anderen über den *Steppenwolf* stritten, gedankenverloren beschaut hatte – und plötzlich das Grausen bei der Vorstellung, was dabei herauskommen würde, wenn sie ihre Nase mit der seinigen vereinigte.
Draußen, kaum vor dem Romanischen und auch nicht daheim in Schöneberg, sonstwo, anderswo, etwa in der U-Bahn oder am Alexanderplatz, liefen die ausgelatschten Schuhe herum, die schlotternden Anzüge, Hanna sah sie, obwohl sie die leidige Brille nur im Notfall aufsetzte, Jammergestalten, viele und immer noch mehr, für Paulundmarie Krethi und Plethi oder auch Kutscher und Kommis. Tauben Ohren predigte Hanna, wenn sie diesen Hochmut verdammte, am Teetisch, zu Hause, sobald Emma das Zimmer verlassen hatte. Auf einmal, die Eltern wußten nicht, wie das gekommen war oder warum, spielte das Gör sich auf als jugendliche Priesterin, wenn auch als aufgeklärte – keine Kerzen, kein Weihrauch, keine bunten Bilder. Aber sie ergriff Partei, die Tochter, forderte Gerechtigkeit, nicht für sich, für die anderen. Hanna mit Wort und Gefühl für die Erniedrigten und Beleidigten, für das Kind das Geprügelte, das Volk das Verfolgte, den Menschen den Ausgebeuteten. Und als dann eines Tages

ein Geschrei war am Hafen und ein Schiff am Kai lag mit acht Segeln und mit fünfzig Kanonen, kam sie schamlos singend nach Hause, und wenn dann der Kopf fällt, sage ich: Hoppla. Vulgär, sagte Mariechen, und Paulus sagte, geschmacklos und verwies auf die schmuddelige Lederjacke und die dreckigen Fingernägel des Herrn Brecht, deren Anblick ihn wenig erbaut und nicht gerade eingenommen hatte für den Mann, abgesehen von. Bloß um Frieden zu stiften, lenkte Mariechen ab auf die amerikanisch-indische Hochzeit, der Glanz in ihren melancholischen Augen – der Maharadscha von Indore und Miss Nancy Miller. Und das Impertinente im Blick der Tochter, worauf es nur eine Antwort gab: Setz dich gefälligst anständig hin. Und ein Schweigen und ein Augenaufreißen: Was hast du mit deinen Haaren? Sieht ja verboten aus! Mit so einer Nase kann man sich das nicht leisten, mein Puppchen.
Aus ihrem Mädchenzimmer heraus veröffentlichte Hanna Widersetzliches in Blättern, die Paulus ein Greuel waren. Weil er kein Despot und auch ein bißchen stolz war auf seine kriegerische Kleine, ließ er sie gewähren, und sie trieb es nicht zu weit, nicht auf die Spitze, das war nicht ihre Art, nicht mit dem Kopf durch die Wand, immer sehen, ob es eine Tür gibt, und wenn nicht, dann eben drinnen bleiben, den Mund halten. Aber noch gab es eine Tür, und Hanna hielt den Mund bloß beim Lachen geschlossen. Nichts geht über schöne Zähne, sagte Paul, und Hanna hatte leider – war aber seine kluge Tochter. Nur Mariechen mahnte: Männer mögen es nicht, wenn eine Frau ihre Intelligenz zu sehr zeigt. Hanna aber zeigte, konnte nicht anders, merkte es nicht einmal, zeigte erst recht, als da einer kam, mit wasserhellen Augen, darin gelbe Punkte leuchteten, und er mühte sich nicht und war auch nicht ergeben. Berühmt als berufener Arzt, so lernte sie ihn kennen – mitten in der Sachlichkeit des Sprechzimmers ein empfindsamer Mund mit leicht geborstenen Lippen, die von einer Fingerkuppe berührt werden wollten, und das Schützende eines Schirmbaumes, unter den Hanna sich gerne gestellt hätte, nicht mehr denken, nur da sein und geborgen. Statt dessen zog sie augenblicklich den Degen und forderte ihn heraus, focht elegant und mutig und bedrängte ihn hart. Zu Hause aber nahm sie Kamillendampfbäder und träumte von einem Rosenteint, Knospe,

die sich öffnen wollte, doch es blieben die Blätter geschlossen über der Blüte – zwar kreuzte Laban Diadowsky noch manches Mal leicht amüsiert die Klinge mit dem scheuen Knabenmädchen, doch galt sein wasserheller Blick nicht ihr allein, konnte nicht anders, wie Paulus mußte er suchen, ruhelos von Blüte zu Blüte, und Hanna mußte mit anschauen, wie sie ihm ihre Kelche darboten, und sah sich wieder einmal gezwungen, Gebrauch zu machen von ihrer Vernunft, sich loszureißen mit Gewalt, den Rückzug anzutreten, nach Hause, nach drinnen, Türen und Fenster zu schließen.
Draußen fand das gesunde Volksempfinden zusammen, Deutschland erwache, die Nasenfrage stellte sich jetzt anders, mit neuer Hoffnung wetterte der alte Feuerbach gegen die Schmarotzer, die Blutsauger, die Schmutzfinken, sauber sollte Deutschland wieder werden, lebendige Gemeinschaft aus Blut und Boden, gegen das rote Untermenschentum, für den Sieg des arischen Menschen, Gehorsam, Pflicht und Treue, Kameradschaft nicht zu vergessen und selbstverständlich Ehre, Ordnung mußte wieder her, Recht und Ordnung. Auch Paul, von den Nasen reingelegt, abgedrängt von seiner Laufbahn, schlug jetzt einen anderen, einen schärferen Ton an, wenn er auf die Nasenfrage zu sprechen kam. Natürlich nicht so primitiv wie sein Vater – er berief sich auf unsern größten deutschen Dichter. Und dieses schlaue Volk sieht einen Weg nur offen: solang die Ordnung steht, solang hat's nicht zu hoffen. Mariechen legte Patiencen und sagte nichts, während Hanna ihn eifrig zu bekehren suchte, den honetten Vater, dem die ewigen Werte auch etwas galten, auf seine Weise durchaus nicht abgeneigt der deutschen Freiheitsbewegung, der sich in diesen Tagen so viele aufrechte und rechtschaffene Menschen anschlossen, wenn auch, leider, einige Plebejer und Proleten darunter waren. Da wurde Hanna aufsässig, wollte wieder raus aus dem Haus, zu den anderen, den Roten, etwas tun, und Paulus wollte verbieten und Hanna sich nicht verbieten lassen, er nicht tätlich werden und sie es nicht zu weit treiben, so standen sie sich im Korridor gegenüber, bis er nachgab, allerdings mit einer kleinen Auflage. Dann zieh wenigstens deinen Pelzmantel an.
Und so zog Hanna aus, im Pelzmantel für Gerechtigkeit, wi-

der das gesunde Volksempfinden, mit einer Stinkwut im Bauch, aber folgsam und pünktlich wie immer, wollte sich nicht alles verscherzen, hatte sowieso genug von den Genossen mit der Genickstarre, den ewig ostwärts verrenkten Hälsen, obwohl sie weiter hinging zu den roten Versammlungen, einmal in der Woche, abends von acht bis zwölf, und ab und zu ein Antikriegsfilm, tagsüber arbeiten, U-Bahn bis Kurfürstendamm, von neun bis fünf schreiben für Rominski, der Provinzzeitungen belieferte mit sauberen, unbedingt geruchlosen Artikelchen zum Morgenkaffee, und für die Samstagsbeilage nette Geschichten, aus denen die Leute etwas lernen konnten.
Nebenan saß einer, mit dem es jeden Morgen dasselbe war, die Treppe hoch, zwei Stufen auf einmal, an Rominskis Tür vorbei, schnellschnell, wieder mal viel zu spät, in sein Zimmer, wo er sich gequält in Rauchschwaden hüllte, um schließlich, mit langen Pausen dazwischen, die Zeigefinger zu strecken und, nach den richtigen Tasten suchend, Buchstaben um Buchstaben zu tippen – Herzog, am Anfang und am Ende ein Nachnahme, nur daß Hanna am Anfang, in jenem, trotz der hundertundsieben Nazis im Reichstag mild strahlenden Altweibersommer, als sie gerade zwanzig geworden und er noch nicht Jakob und sie noch lange nicht seine Jakoba war, einfach nicht behalten konnte, wie das Dorf hieß, aus dem er gekommen war, der Herzog, älter als Hanna und fast schon ein Mann, allerdings kein Weltmann, auch nicht ergeben und nichts Wasserhelles im Blick, eher derb und behaftet mit etwas Bäurischem, das Hanna zuweilen an Rüdiger den Grafensohn und verbotenen Bruder erinnerte. Kein vornehmer, ja ein ungehobelter, ein unfeiner Mensch, sollte Mariechen entscheiden, später, im Frühjahr, als die Linden zu grünen begannen und aus Herzog ein Jakob, der Jakob geworden war, wenn auch nicht für Marie, die ihren Charme um seinetwillen kaum bemühte, ihn doof fand, den Herrn Herzog mit seinen rutschenden Socken und die Krawatte ganz schief. Hanna aber hatte sich an seinen hessischen Tonfall gewöhnt und an die Baskenmütze, den jungenhaften Dickschädel von hinten und die hohe Stirn, auf der einen Seite die Geheimratsecke, auf der andern das ins Gesicht fallende schwarze Haar.

Bei Jakob, dachte Hanna, könnte sie sich unterstellen, da zählte es nicht mehr, daß er hin und wieder ein Furunkel im Nacken hatte, da empfand sie ihn schon als Lebensbaum mit seiner Heiterkeit, seinem Lachen und dem Leichtsinn, der ihn ihr nur liebenswert machte, damals, in jenen Tagen des Anfangs. Nach einem langen Winter strichen die ersten linden Lüfte durch den Grunewald, und daß es einmal wieder Winter werden würde, der Baum entlaubt, bloß kahle Zweige, die keinen Schutz zu bieten haben, das schien undenkbar. Noch gab es nur täglich ein wenig mehr sich aufrollende Blattknospen und Jakob, den Hanna, die zur Inhäusigkeit neigende, zum ängstlichen Abwarten hinter verschlossenen Türen, als Draufgänger sah, als wunderbarerweise überhaupt nicht ängstlichen Mann, der weder Einbrecher noch Spinnen noch Bazillen noch Hunde fürchtete, nicht immer nach der Tür schaute, es auch schon mal mit dem Kopf durch die Wand versuchte und hernach witzelnd seine Beulen betastete oder eine Tür aus den Angeln hob, um damit seinem Zimmervermieter entgegenzutreten. Weit über die Tage des Anfangs hinaus hatte Jakob etwas Mitziehendes, und Hanna brauchte das, wollte gezogen werden, brauchte einen, der voranging und sie mitnahm und breitbeinig hockte beim Rasten, fest auf dem Boden, von anderer Schwere als sie, die mit geschlossenen Knien wohlerzogen saß, weswegen Jakob sie neckte mit lustigen Augen und das feine Fräulein Feuerbach nannte. Sein Vater, so hatte er Hanna erzählt, sei Arzt.
Wenn nur Charlotte Rominski nicht gewesen wäre. Zwei Zimmer weiter, genannt Lola. Die schrieb einen Frauenroman nach dem andern herunter, schön brav, wie die es haben wollten, weit weg in der finsteren Provinz, gönnte sich dafür ein unbekümmertes Leben und hatte auch eine Geschichte mit Jakob. Gehabt. Beendet in jenem mild strahlenden Altweibersommer. Wollte aber wieder anfangen, als der Grünschleier über den Linden lag. Hatte gemerkt, daß da etwas war, etwas wurde zwischen der Feuerbach und ihm. Auch Lola, Lola Rominski, sollte später, in der Dachwohnung, ein Vierteljahrhundert später, bei den Gesprächen der Frauen am Abend, zuweilen durchs Zimmer gehen, mit Stupsnase, aber auf Stampfbeinen, und nie begriff Anna, was Jakob an ihr

gefunden, wo sie doch Stampfbeine, entsetzliche Stampfbeine hatte. Hanna merkte es sofort, das Wiederanbändeln hinter ihrem Rücken, das Flirten auf Teufel komm raus, das Schäkern draußen auf dem Korridor, hörte Lolas rauchige Stimme und wußte genau, wann sie den Kopf in den Nacken warf und die ebenmäßigen Zähne zeigte. Sah sie auch zusammen lachen, die beiden, aber tat, als merke sie nichts, gab sich schnippisch spröde, wenn die andere die blauen Augen für ihn blitzen ließ. Später mochte Lola als Pferd, als Trampel durch Mariechens Zimmer stampfen, aber damals war sie im Vorteil. Hanna konnte das nicht, girren und gurren, lockend liebäugeln. Versuchte, ihn anders abzubringen, auf ihre Art. Erst mal weiter so tun, als merke sie nichts. Dann Anteil nehmen, ihn sacht hinüberziehen durch teilnehmendes Wesen. Keine Klagen, keine Vorwürfe, noch nicht, nur ein Schmerzenszug um den Mund. Jakob aber war keiner von den Faltern, die es von Blüte zu Blüte treibt, sehnte sich nach einem Frauenschoß, in den er seinen Kopf legen und ausruhen konnte. Nur wußte er nicht mehr, in welchen. Lola spielte zerstreut mit seinen Haaren, wenn er sich, nach heftigem Liebesspiel erlöst und doch nicht ganz erlöst, des Dorfes erinnerte, in dem er aufgewachsen, der Jungenspiele am Rhein und der beiden Tanten, Mine, die ihn großgeprügelt, ihrer Fleischmassen, ihrer Jungfernschaft und des Schürhakens, und Klara, Klärchen, auch mit fast fünfzig Jahren noch die kleine Schwester. Lebhaft bedauerte Lola den Geliebten und brachte das Gespräch auf den modischen Humpelrock und Fritzi Massarys Beine. Dennoch, als wieder Altweibersommer war und im Grunewald die Blätter traurig trudelten, stand Jakob am Wegrand, hielt schluchzend einen Baum umschlungen, heulte wie ein Schloßhund um Lolas willen. Und Hanna, Hanna konnte das nicht mitansehen, mußte wegsehen wie einst, da Paulchen auf dem Sofa Tränen vergoß, weil Rosamunde untreu geworden, spürte Verachtung und schämte sich, dachte, selber schuld, und zeigte doch Mitgefühl und tröstete, so gut sie konnte. Konnte es aber so gut, das Trösten, daß Jakob sie um ihr Taschentuch bat, sich kräftig schneuzte und ihr ein Geständnis machte. Sein Vater sei gar nicht Arzt, nur Krankenpfleger.
Macht nichts, sagte Hanna, das macht doch nichts, sagte es so

eifrig, daß sie fast selbst dran glaubte, und erst, als sie wieder allein war, zu Hause in ihrem Mädchenzimmer, die leise Enttäuschung spürte. Jakob war erleichtert, der Korken gelöst, es kam der Flaschengeist heraus. Das besoffene Vaterungeheuer. Nicht bloß Pfleger, auch noch Schlagetot. Ich schlach dich tot. Und Hanna fühlte die Angst des Kindes, vergaß ihre eigene, wurde ganz Jakob, war der Junge, den die Mutter aus dem Schlaf, aus dem Bett riß, um mit ihm aufs Klo zu flüchten. Gerade noch rechtzeitig schlug sie die Tür zu, drehte den Schlüssel herum. Das Beten der Mutter, du bist gebenedeit unter den Weibern, und gebenedeit ist die Frucht deines Leibes, das wütende Bummern des Vatertiers draußen, bitte für uns Sünder.
Auf einer Bank im Grunewald sagte Jakobs Großvater, heirate ihn nicht, den Lump, sagte der Bäckermeister Schulz, wir kriegen das schon groß, auch ohne den Lumpenhund, aber seine Frau jammerte, Jessesmaria, die Schande, die Leute, Jessesmariaundjosef. Und die Bäckerstochter Anna Schulz dachte daran, was die Leute denken würden, und heiratete ihn doch, Wilhelm Herzog, den Schläger-Willem.
Hanna hörte zu und war der kleine Junge, den die Eltern nach Bingen brachten, zu den Tanten, den gut katholischen Tanten Schulz, Wilhelmine und Klara, Mine mit dem Schürhaken und Klärchen, das arme Mensch. Unversöhnlich und von ganzem Herzen haßte sie das schreckliche Drachenweib, die fromme Vettel, die keine Messe ausließ, Hochwürden hinten und Hochwürden vorne, lief fort mit Jakob, weg von dem Schürhaken, gerade acht Jahre alt, viele Stunden weit bis zu einem Dorf, in dem ein Nähmädchen wohnte, das dem Kind übers Haar gestrichen und Köbbsche gesagt hatte, bisten gute Kerl. Konnte aber dort nicht bleiben, mußte zurück zu Mine und Klärchen, und wieder der Schürhaken – Bankert, dreckisches, so Fisematente machste nit noch ma.
Bis zum Abend saßen Hanna und Jakob auf der Bank, Jakob redete und redete und konnte gar nicht mehr aufhören, und Hanna ging mit und verwandelte sich von Hanna in Jakob und zurück in Hanna – fremd und ein bißchen unheimlich war ihr der Junge, der Katzen aus dem Fenster warf, um zu sehen, ob sie heil ankommen würden, unten – an dem wilden,

dem jähzornigen Kind konnte Hanna nur von außen teilnehmen, aber als Jakob schon in der Volksschule sitzenblieb und der Vater nach Bingen fuhr, um seinen Sohn eigenhändig zu verkloppen, du Hockebleiber du, ich schlach dich noch ma tot, da war Hanna wieder ganz Jakob und haßte das Vaterungeheuer so selbstlos und inbrünstig wie bisher nur Tante Dorle und wer sonst noch von der Mischpoke Mariechen das Leben vermiest hatte.
Als die beiden endlich aufstanden und durch den dämmernden Wald zurückgingen zur S-Bahn, Hand in Hand und still geworden, war Lola abgetan, und Jakob wollte seinen Kopf fortan nur noch in Hannchens Schoß legen.

Etwas fehlte, in der Dachwohnung in der Waldstraße fehlte etwas. Hannaundmarie *wußten*, Anna hatte nur eine Ahnung, was es sein könnte, denn Jakob war fort, und es war geworden, als hätte es ihn nie gegeben, den Vatergeruch an dem Mantel, draußen im Flur, die tiefe Stimme in Hannas Zimmer und die kratzende Backe. Eine behaarte Wade, die zwischen Socken und Hosenbein hervorschaute, eine Brust ohne Brüste, jemand, der mit einer Hand in der Tasche umherging, ein nachdrückliches Schneuzen in ein weißes Taschentuch.
Draußen gab es Männer – der Busfahrer war einer, der Schaffner und auch der Briefträger. Viele Männer gab es da draußen, drinnen nur Mariechen, Hannchen und Ännchen, und kein Mann, der mit Draußen verhandelte. Ein Mann fehlte, der mit dem Vermieter redete, wenn die Heizung wieder mal nur lauwarm war. Wäre ein Mann im Haus, sagte Hanna erbittert, würde Meister sich das nicht erlauben. Wenn Hanna, die Flasche ungeschickt zwischen die Beine geklemmt, kraftlos an dem Korkenzieher zog, dann fehlte ein Mann. Wenn Mariechens Bett einstürzte, mitten in der Nacht, und die Oma verrenkt liegenblieb, arm und schwach auf der Schräge zwischen Rost und Fußboden, mit kräftiger Stimme Hanni rief, wenn Hanna verschlafen die Tür öffnete und ach Gott sagte, dann fehlte ein Mann. Ein Mann fehlte, wenn eine dicke fette schwarze Spinne hinter dem Heizkörper hervorgekrochen kam und Mariechen igittigitt sagte und Hanna, Abscheu in

den Mundwinkeln, stumm den Besen holte, sich hilflos nach Anna umsah – wo ist sie denn? Wenn Hanna, die ängstlichen Eichhörnchenaugen weit aufgerissen, den Besen hob und einmal kurz dahin stieß, wo sie die Spinne vermutete, dann fehlte ein Mann. Ein Mann fehlte, wenn Hanna aufwachte und erstarrte, weil es im Flur in dunkler Nacht geknackt hatte, ein Mann, der aufgestanden wäre, die Tür geöffnet und sich dem Einbrecher entgegengestellt hätte. Ersatzweise lernte Anna, die Flasche entkorken, die Spinne töten, dem möglichen Einbrecher entgegentreten. Aber wenn sie die Mutter trösten wollte, vielleicht findest du einen neuen Mann, dann sagte Hanna entsetzt: Das fehlt mir gerade noch – ein Mann! Dennoch war einmal in der Woche die Küche gesperrt, weil Hanna ihre Beine enthaarte. Haare an den Beinen, sagte sie, sind scheußlich. Männer mögen das nicht.
So lernte Anna auch, was Männer mögen und nicht mögen. Mögen es nicht, wenn eine Frau sich betrinkt, erklärte Mariechen. Warum? Sie verliert dann ihre Würde. Mariechen hatte jetzt immer eine Flasche Gin neben dem Bett stehen.
Wenn die Frauen in den beiden Zimmern unterm Dach in der Waldstraße das Wort Männer aussprachen, klang es immer nach Sagengestalten, Wesen aus einer Sagenwelt, es hatte sie mal gegeben oder gab sie noch, aber weit weg, in fernen Fernen, Gottseidank und leider, so mächtig und so schwach und so stark, konnten alles geben, alles nehmen, nehmen und liegenlassen, hüte dich, Heimsucher und Erlöser von allem Übel, warte, vielleicht kommt auch für dich einmal einer, die Frau, schloß Hanna, ist eben doch nur aus der Rippe des Mannes gemacht.
Und Anna wartete auf den, der da kommen würde, lief nicht mehr zum Fenster, schon lange nicht mehr, wenn sie draußen ein Motorrad hörte, Herzog war ja fort, weit weg, über den großen Teich, würde nie mehr kommen. Auf einen anderen wartete Anna, nicht auf Jakob, wartete auf einen, der kein Gesicht hatte, noch nicht, keine Gestalt, keine Stimme, aber eine haben würde, eines Tages, wartete und wußte, sie würde ihn erkennen, auf den ersten Blick wissen, das ist er und sie die Seine für ewig, wo du hingehst, da will auch ich sein. Wartend sah Anna sich immer und immer wieder entschlossen

über die Hängebrücke gehen, festen Fußes über die schwankende Brücke, nicht in die Tiefe geblickt, über die Brücke zu ihm. Ihm, der da stehen würde, die Arme ausgebreitet für Anna und nur für Anna. Die anderen Mädchen hatten, die anderen Mädchen waren, hatten Väter und waren schön. Bloß Anna aschenputtelte und wartete auf den, der da kommen würde, sie zu hüllen in seinen Mantel, auf daß es ihr warm würde und leicht zumut.

Am Ende der Waldstraße stand ein Haus, da wohnte Jürgen, der nicht wußte, daß er der Königssohn war, der weiße Ritter, der nicht merkte, wie er wieder und wieder die Arme ausbreitete für Anna, die ihm entgegenlief und gestillt an seiner Brust lag. Begegnete Anna aber dem Jürgen mit seiner Schulmappe auf der Straße, wagte sie nicht, ihn anzuschauen, wußte sie kein Wort zu sagen. Befangen und blöde war Anna im Angesicht des Königssohns mit den schwarzen Brunnenaugen. Wußte nichts von ihm, nur den Namen. Den kratzte sie zu Hause in die Fensterbank.

Ein Wunder geschah. Von einem Augenblick zum andern war die Welt verwandelt. Wie wenn über einer in trübem Licht liegenden Landschaft plötzlich die Sonne hervorkommt – dieselbe Wiese, derselbe Bach, die Häuser in der Ferne dieselben und doch alles anders. Was eben noch nichtssagend unterm bedeckten Himmel einfach bloß gewesen war, lebte, atmete, regte sich, die Häuser menschenbewohnt, es nickten die Grashalme, Sonnenkringel tanzten in den aufblitzenden Wellen, und Anna gehörte dazu, aus dem gleichen Stoff wie alle und alles um sie herum, mit allem verwandt. Nur weil sie gemerkt hatte, daß Jürgen sie bemerkt hatte. Das Wunder war ohne Worte geschehen, jenseits der Sprache wie das Hervorkommen der Sonne zwischen den Wolken. Er hatte sie angesehen, und die Welt war wie eben erst erschaffen. Mit neuer Vorsicht bewegte sich Anna, nichts Eckiges mehr, kein die Treppe Runtertrampeln, behutsam setzte sie einen Fuß vor den anderen, um ja nichts zu zertreten. Putzte sich auch willig die Schuhe ab auf der Matte vor der Haustür, lachte den Schaffner an, den Busfahrer und wildfremde Menschen auf

der Straße und nutzte zu Hause einen Augenblick, in dem die Großmutter nicht im Zimmer war, um vor dem Spiegel über Maries Kommode, dem einzigen in der Wohnung, die Hügel zu betrachten, die einmal Brüste werden sollten. Und wenn sie Mensch-ärger-dich-nicht spielte mit Mariechen und stritt und heulte, weil sie verloren hatte, dann spürte sie doch immer noch das Singen und Summen im Leib, den goldenen Ball im Bauch, von dem niemand wußte. Und die Unruhe, das Warten, Träumen, Warten. Jeden Augenblick konnte es geschehen. Sich auf der Straße herumdrücken oder Ausschau halten vom Fenster aus, warten, träumen, warten.
Und dennoch war sie unvorbereitet, kam aus der Schule, verschlumpelt, zerzaust und ausgerechnet in dem alten Dirndl mit der eingerissenen Schürze. Kam von der Bushaltestelle, den Kastanienberg hinunter, und da stand er, kickte Steine, tat, als sehe er sie nicht, schaute erst auf, wie zufällig, als sie, den Tod im Herzen, vorübergehen wollte.
Was machsten du so?
Och nichts. Und du?
Och nichts.
Anna war stehengeblieben, hielt die Schulmappe unauffällig vor die eingerissene Schürze, todunglücklich und selig, hoffte mit jedem Atemzug, daß etwas geschehen würde, egal was, bloß zusammenbleiben. Hielt die Luft an, aus Angst, er würde sich umdrehen, weggehen. Stand herum, so wie er herumstand, sah ihn nicht an, so wie er sie nicht ansah, spürte, wie die Luft zwischen ihnen flimmerte, und starrte dabei auf ihre Fußspitzen.
Jürgen, die Hände tief in den Hosentaschen, murmelte etwas, das Anna nicht verstand. Aber sie wollte auch den Augenblick nicht entweihen und wie bitte fragen, ging einfach mit, als er sich langsam in Bewegung setzte, unter den blühenden Kastanien, immer noch die Schulmappe vor der Schürze, wie zufällig und tief in Gedanken verloren neben ihm her, der wie zufällig und tief in Gedanken verloren nicht in die Waldstraße einbog, sondern weiter, den Berg hinunter, das Bergelchen, das zur Rodelwiese führte, im Winter, im Sommer zu den Wiesen und Margeriten, zum Bach, zum Wald.
Es sah aber alles ganz anders aus als sonst, der Garten mit den

Zwergen und dem großen gipsweißen, rotbefleckten Fliegenpilz, alles war wichtig, und nichts war wichtig, außer daß Anna und Jürgen nebeneinander hergingen. Lattenzäune sah Anna, die sie noch nie zuvor gesehen hatte, grün angestrichen und dahinter Vergißmeinnichtinseln, blau blühend, und hätte am liebsten allem zugerufen, ich gehe mit ihm und wollte immer so gehen, bis in alle Zeiten, und war so verzaubert, daß sie vergaß, die Schulmappe vor den Riß in der Schürze zu halten. Hatte es nur schwer mit dem Atmen, wollte nicht zu laut atmen, schlenderte mit leicht geöffnetem Mund neben ihm her, zum Brückchen, wo er stehenblieb und Steine schnellen ließ, über die Bachwellen. Anna schaute bewundernd zu und zählte mit, wie oft die Steine dotzten, ließ sich erklären, daß sie flach sein müßten, starrte offenen Mundes auf einen, den er ihr auf der ausgestreckten Handfläche entgegenhielt. Versuchte es auch selbst, nachdem er sie dazu aufgefordert, aber ihrer versank sofort im Wasser. Da zeigte er es ihr noch einmal, holte weit aus und beobachtete mit unbewegter Miene, wie der Stein über das Wasser sprang, viermal.
An den Schrebergärten vorbei. Eine dicke Frau, gebückt im blauweiß gestreiften Kittel, ein gewaltiger Hintern und die Hände voller Erde. Über die Wiese, durch Margeriten, Glokkenblumen, Schaumkraut zum Bach, wo sie sich setzten, schweigend, nicht wagten, sich anzusehen. Eine Schnecke kam die Böschung hoch, geringeltes Häuschen auf dem Rükken, Fühler ausgestreckt. Jürgen riß einen Grashalm ab, kitzelte mit der Spitze die Fühler, die sich sofort zurückzogen, erst der eine, dann der andere, es war nur noch der feuchte, runzlige Körper zu sehen, den Jürgen weiter kiekste mit seinem Grashalm, bis er ganz verschwunden war in dem Häuschen, das eine Weile still und wie verlassen dalag, aber nicht lange, langsam langsam schob sich erst ein Fühler vor, dann der andere, die Luft betastend immer weiter vor, eine sachte Berührung mit dem Grashalm, und schon zogen sie sich wieder zurück. Jürgen warf den Grashalm fort. Erzählte Anna vom Fußball und von der Weltmeisterschaft letztes Jahr. Deutschland – Ungarn. Fritz Walter. Drei zu zwei. Toll, sagte Anna enttäuscht.

Als sie wieder auf den Boden sahen, war eine zweite Schnecke da. Mit ausgestreckten Fühlern bewegten die beiden sich aufeinander zu, es gab eine Berührung, und sofort zogen beide ihre Fühler wieder zurück, wagten sich aber bald wieder vor, erst die eine, dann die andere, und Anna hätte Jürgen gern gefragt, ob sie blind tasteten oder einander suchten, schwieg aber, wegen der blöden Fußballweltmeisterschaften, schaute nur zu, wie die Fühler miteinander spielten, zurückschreckten, wenn sie sich zu nahe kamen, die eine bis in den Kopf zurück, die andere nur ein Stückchen, und dann doch beide wieder tändelnd, vor und zurück tänzelnd, auf und ab im Orten, sich reckend und streckend und plötzlich zurückziehend, und dann, so kurz, daß Anna später sich nicht sicher war, ob sie es wirklich gesehen hatte, rührten sie sich an, verharrten, so reglos, so still, als ob die Böschung eine Kirche wäre, als ob sie miteinander beteten.

Hanna konnte nicht. Versuchte es mit Schrotbrot, Dörrobst, eingeweichten Pflaumen. Versagte sich Schokolade, Kakao, Bananen, aß nie ein hartgekochtes Ei. Konnte trotzdem nicht, zwei drei Tage hintereinander. Agar-Agar, Sennesblätter, Faulbaumrinde. Nichts. Stärkere Geschütze, Karlsbader Salz, Glaubersalz, Bittersalz. Ewige Unruhe, ernsthafte Sorgen. In wachsender Verzweiflung dann Rizinusöl. Oder eine Tablette ausnahmsweise, will mich nicht daran gewöhnen. Im äußersten Notfall ein Einlauf. Wenn die Hartleibigkeit hartnäckig andauerte. Wenn Hanna immer wieder unverrichteter Dinge zurückgekehrt war, nachdem sie sich hoffnungsvoll entfernt hatte, ich glaube, jetzt kann ich, wenn ihre Bemühungen auf dem Örtchen, das ihre Mutter das stille nannte, dann doch fruchtlos geblieben waren und sie jedesmal ein bißchen matter die Schultern hatte zucken müssen auf Mariechens teilnahmsvolle Frage: Hast du Erfolg gehabt? Frage, die schon die Zwanziger Jahre mitgemacht hatte, die Nazizeit und den zweiten großen Krieg, sich stets gleich geblieben war und kein bißchen gealtert auf dem langen Weg in das Bett in der Waldstraße. Hast du Erfolg gehabt? In der Dachwohnung wie einst in Schöneberg,

als Hanni noch zu Hause wohnte, wo es ein Bad gab, in dem sie sich einschließen konnte, um den Einlauf zu machen.
Das Bad sollte ihr fehlen, nachdem sie Jakobs Jakoba geworden. Paulus litt Qualen bei dem Gedanken, daß dieser ungeschliffene Kerl seine einzige Tochter. Marie stieß sich mehr daran, wie der Mensch aß. So gierig, so unappetitlich. Man schneidet Kartoffeln nicht mit dem Messer. Und man zermanscht sie auch nicht mit der Gabel. Außerdem sieht es verboten aus. Zu spät. Hanna und Jakob waren schon heillos unzertrennlich. Gegenüber Paul und Marie, gegenüber den Freunden im Romanischen Café und auch Lola Rominski gegenüber Hannaundjakob. Es war die Eintracht jedoch nicht vollkommen. Hannas kommunistisches Gebabbel in der *Welt am Morgen* mußte Kobus mißbilligen. Sich aufregen, maßlos, wie es seine Art war. Und vollends fuchsteufelswild werden, wenn sie Katholisches in den Dreck zerrte. Wohl war sie schlimm gewesen, die Zeit unter Tante Mine, das Gesangbuch auf dem Küchentisch, die Handschuhe ausgezogen und nach dem Schürhaken gelangt, aber es hatte auch katholische Güte gegeben, Pater Ildefons, die tönende, schwingende Stimme, wenn er Jakob sagte, mein Sohn, die betörenden Stunden in der Nähe des zartfühlenden schwarzen Mannes, das Hirtenbild, das er Jakob einst zum Trost geschenkt hatte, und die Sanftmut, mit der er das Gerede und Geraune ertrug, dem Jakob, selbst als der gute Pater unter der Erde war, nicht recht glauben wollte.
Hanna verstand das nicht, warum Kobus so heftig wurde, wenn sie Aber sagte. Aber was tun sie den Kindern in ihren Klöstern an? Beichten. Beten. Büßen. Menschenkinder brechen. Dagegen muß man doch angehen. Siehst du das nicht ein? Gerade du. Jakob immer heftiger, lauter, wutstotternd Hessisches brüllend, Hanna ganz ruhig, reg dich nicht auf, ruhig, aber unnachgiebig in gerechtem Eifer. Ein reizbarer Mensch, der Herzog, Hanna trotzdem seine Jakoba und Frau Herzog. Dreiunddreißig. Die Nasenfeinde an der Macht. Mariechen trat über. Aus Miriam gesetzlich Maria. Geschützt von nun an. Dachte sie. Weihe legte sich über das deutsche Land. Prächtige Aufmärsche. Große Oper. An der Spitze ein Künstler, ein Baumeister und Maler. Hatte sich innerlich

durchgekämpft, schwer, in seiner Jugend. *Indem ich mich der Juden erwehre, kämpfe ich für das Werk des Herrn.* Trotzdem spielten die Lohmanns weiter Bridge mit Marie. Oder Rommé. Mochten ihn nicht, diesen Hitler. Aber mit Geld gehn sie gerne um, sagten sie und meinten die Juden und meinten es nicht böse. Handeln tun sie gerne. Das liegt so drin. Weihe lag über dem deutschen Land, und Paulus träumelte davon teilzuhaben. Wollte in die SS, sprach schon vom Schneider, das sanfte Paulchen. Die Uniform hatte es ihm angetan. Hanna mußte ihn belehren. Er konnte gar nicht. Mit einer Nasenfrau. Und Jakob meinte das nicht so mit seinem Spruch: Uff ihn, es isn Judd! Hatten sie früher auf dem Schulhof gejohlt, wenn einer die Hucke voll bekommen sollte. Neinnein, kein Jude – ein Binger Bub.
Jakob kaufte eine Leica. Zog mit Hanna durch Schöneberg, Charlottenburg, Tempelhof, von Kirche zu Kirche, wo gerade Hochzeit war. Vor dem Portal fotografierte er Braut und Bräutigam. Hanna die Scheue schwätzt den Leuten die Bilder auf. Abends dann ins Romanische Café. Keine roten Versammlungen mehr. Mit Freunden im Romanischen. Einmal ein SS-Mann in Uniform. Ziepte ein Mädchen am Haar, das lang war und blond wie Lolas Engelsmähne. Wurde hinausgebeten von Jakob. Laß, sagte Hanna. Aber Jakob konnte nicht lassen. Sich das nicht gefallen lassen. Ärmel hochkrempeln. Hanna dazwischen. Weggefegt von dem SS-Mann. Oder auch nur geschubst. Jedenfalls hingefallen. Jakob nicht mehr zu halten. Den Kerl umbringen. Kaltmachen. Komm, sagte Hanna. Laß. Jakob konnte nicht kommen. Hanna drehte sich um. Ging weg. Später das Blut an seinem Ärmel. Flenn nicht, sagte Jakob stolz zu seiner Jakoba. Nicht mein Blut.

V
Das wird dir noch mal leid tun

Als Anna ein halbes Jahrhundert später, schon gewohnheitsmäßig auf der Suche nach der dreizehnten Fee, einen Stein warf in einen dicht bemoosten leeren Brunnen, die Fee vielleicht aus dunklen Tiefen aufzuscheuchen, ans Licht zu zwingen, am Muttertag zu Besuch bei Hanna, die Frage fallenließ, ob sie denn nichts vermißt habe in all den Jahren ohne Mann, da sagte Hanna, klein und krumm in ihrem Sessel, die Arme auf der Lehne, ein schmelzendes Häufchen Schnee: Ich hatte ja dich.

Maßvoll war Hanna, sparsam und sanft. Sanft gewalttätig war Hanna, wenn sie fragte, bohrte, etwas herausbekam, dagegen anging, beharrlich zu überzeugen suchte, mit leiser, monotoner Stimme: sag doch mal selbst, das mußt du doch einsehen, sei doch vernünftig. Und immer gab es Gründe, Erklärungen, Rechtfertigungen – ausführliche, festgefügte. Uneinnehmbare Festungen waren Hannas Gründe. Dahinter saß Hanna und hatte Magenschmerzen und war so müd so matt so ganz erschöpft. Anstrengend die Mutter, der Mann, die Tochter. Marie wollte etwas für sich, Jakob, Anna, Hanna wollte nichts für sich, nur für Marie, Jakob, Anna, die Eigensinnigen, Unvorsichtigen, Uneinsichtigen. Vorwürfe machen mußte Hanna, hättest du doch, wärest du doch, siehst du, hättest du nicht, wärest du nicht, ausdauernd belagernde Vorwürfe, bis Mariechen, Kobus, Ännchen kapitulierten oder einen wütenden Ausfall machten. Doch zog Hanna nie weiter ab als bis zum nächsten Wäldchen.
Bitte gib mir noch eine Zigarette.
Aber Mariechen, du hast doch schon sechs.
Gib mir noch eine.
Mariechen machte ihr Schmollmündchen, Hanna ihre eiserne Leidensmiene. Ein Prinz war nahe, vor dem sich die Dornenhecke um die verwunschene Dachwohnung vielleicht teilen würde, aber noch war er nicht da, Anna allein sah, wie Marie abwartete, bis Hanna in die Küche gegangen war, dann schnell aus dem Bett barfuß in Hannas Zimmer schlich, nach dem Schlüssel des Sekretärs suchte, die Schubladen aufzog, eine nach der anderen, in ihrem zerknitterten, viel zu kurzen Nachthemd, Zunge zwischen den Lippen spielend. Anna

allein sah mit an, wie Hanna dazukam, Mariechen fragte, was machst du denn da? Obwohl sie genau wußte, was Mariechen da machte. Anna ganz allein freute sich heimlich mit, wenn Mariechen fündig geworden war, sich mit ihrer Beute ins Bett zurückzog, zufrieden vor sich hin paffte.

Der Prinz kam an einem Regentag zur Kirschenzeit, als Anna sich mit Winnetou auf der Toilette eingeschlossen hatte. Sie hörte es klingeln, las weiter, hörte, wie Marie von ihrem Zimmer aus rief, versuchte weiterzulesen, mitten in Winnetous fliegenden Galopp hinein, Old Shatterhand in höchster Not, Maries vor Ungeduld scheppernde Stimme, es hat gekliiiingelt. Anna knallte das Buch zu, versteckte es hinter der Toilettenschüssel, auf dem Flur schon das Schlurren und Schlappen von Maries Pantoffeln. Um keinen Verdacht aufkommen zu lassen, zog Anna an dem weißen Porzellanklöppel, die Spülung rauschte auf, Marie bummerte in Dreiteufelsnamen komm raus, und Anna mußte sich Luft verschaffen, Luft, riß die Tür auf, so daß die Großmutter zurückprallte und dann mit Lust in das schokierte Runzelgesicht hinein Parademaasch, Parademaasch, der Kaiser hat ein Loch im Aasch! Und die Treppe runtergepoltert, das alte Gewitter hinter sich gelassen, du unverschämtes Gör du, die Haustür auf und augenblicklich gezähmt, atemlos und verlegen. Gesittet stieg Anna die Treppe vor ihm hoch, führte ihn in Hannas Zimmer, wo sie, neben ihm auf der Couch, mit ihrem Kettchen spielte, ihn ansah, wenn er sie nicht ansah, wegsah, wenn er sie ansah, auf den Regen horchte, zum ersten Mal bemerkte, wie zerschlissen die Steppdecke auf Hannas Bett war, und die Flusen auf dem Teppich, überall Flusen und der Wäscheschrank halb offen.

Weit weg Maries Stimme von nebenan, die Anna rief, Anna, immer gereizter.

Anna hörte es, aber es ging sie nichts an. Es ging sie erst an, als die Tür geöffnet wurde und Marie dastand, beide Hände auf die Klinke gestützt, gebeugt den Rücken, wirr das weiße Haar. Als sie Jürgen sah, riß sie die Augen auf, weit auf, die Kohleaugen staunend im langsamen Begreifen der Greise, den Mund, weit auf das rosige Mundloch zum stummen

Ahhh des Alters. Dann machte sie die Tür schnell wieder zu.
Das war meine Großmutter, sagte Anna zu Jürgen, der seine Hand auf ihre legte. Still horchten sie zusammen auf den Regen. Mehr war nicht. Hanna kam nach Hause. Jürgen ging.
Als er fort war, wollte sie allein sein. Wo man sie nicht rufen, nicht suchen, nicht aufstören würde. Zog sich unauffällig zurück über den Flur zum Speicher. Kein Blick für das Gerümpel, gleichgültig vorbei an Meisters Puppenstube. Jürgen, erfüllt von Jürgen. Keine Angst vor der Treppe, schon lange nicht mehr. Die leise knarrenden Stufen hinauf. Jürgen. Das splittrige Geländer. Jürgen, erfüllt und satt und reich von Jürgen. Noch auf der Treppe sah sie den Käfig. Die Maus. Sie hatte die Maus vergessen. Wie viele Tage? Einfach vergessen. Die Maus, gekauft von gestohlenem Geld. Wollte unbedingt eine Maus haben. Hanna wollte nicht. Die Kirche im Dorf lassen. Heimlich die Maus gekauft, den Käfig dazu. Oben auf dem Speicher versteckt. Die Maus war tot. Die Speckschwarte abgenagt. Bis auf den letzten Rest, von den Zähnchen geriffelt. Vergessen. Verhungert. Die Maus lag auf der Seite. Der Schwanz ringelnd auf dem Käfigboden, zwei Füßchen in der Luft, winzige Krallen, die kleinen runden Ohren, die abstehenden Schnurrhaare, alles tot. Holz angenagt. Hatte noch versucht rauszukommen. Annas Schuld. Nicht wieder gutzumachen. Mußte heimlich fortgeschafft werden.

Das Jürgenhaus am Ende der Waldstraße eine Festung – von außen nichts zu sehen, nur die hohe Mauer mit den grünen Scherben und das verschlossene Törchen. Es lebten dahinter aber rechtschaffene Leut. Korrekt der Vater, schwer arbeitend und anständig bis auf die Knochen. Die alten Grundsätze, die ewigen Werte nicht einfach über Bord geworfen. Pflicht und Treue. Knöchel auf den Tisch. Was Recht ist, muß Recht bleiben. Kein feiges den Arsch Zusammenkneifen. Fünfundvierzig *Mein Kampf* gerettet und den *Mythos des Zwanzigsten Jahrhunderts.* Führer im Herzen behalten. Von vorne angefangen. Bau-Unternehmen. Hochgeschafft. Geschuftet. Nie krank. Nie zu spät. Morgens um fünf aufgestanden. Immer Ärger mit den Arbeitern. Wollten nicht mehr richtig arbeiten. Von wegen krank. Faul. Unterm Adolf hätts das nich gegeben. Um halb zehn nach Hause, eine Tasse Kakao trinken. Auch die Söhne zur Arbeit angehalten. Ein Kind muß lernen, auf Freizeit zu verzichten. Sonntags morgens ein Hörnchen und dann anständig angezogen, die Haare mit Wasser gekämmt und in die Kirche, mit der Frau und den Söhnen. Nach dem Mittagessen aufs Ohr gelegt, von eins bis drei. Kaffee getrunken und ins Wirtshaus. Ohne die Frau. Frauen und Katzen gehören ins Haus. Abends heim, umgezogen und noch einmal in die Kirche. Dort für die Woche gestärkt. Der Prediger auch ein rechtschaffener Mann. Ein Gerechter. Unbeugsam. Besaß eine Tochter, seine einzige. Siebzehn Jahr. Hübsches Mädchen. Hatte sich schwängern lassen von einem Hergelaufenen. Da schonte er nicht sein eigen Fleisch und Blut. Wetterte von der Kanzel herab gegen Unzucht und Hurerei. Und die Tochter auf der Frauenseite mit gesenktem Kopf. Keine Ausnahmen. Was Recht ist, muß Recht bleiben. Jürgen war dazu ausersehen, eines Tages das Geschäft zu übernehmen. Mutter und Vater taten alles für ihn. Wenn er krank war – der beste Arzt. Keine Kosten gescheut. Taten ja alles für ihn. Die Mutter strickte. Pullover, Jacken, Schals. Der Vater bastelte. Die Eisenbahn, Schienen, Häuschen, Tunnels. Und beide brachten ihm Manieren bei. Die Mutter auf mütterliche Weise.

Wo kommst du her? Ich will wissen, wo. Verdreckt von oben bis unten. Warte nur. Papa sagen. So dreckig kommst du nicht noch mal heim. Auch noch frech werden. Sperr dich in den Keller, wenn du so weiter. Macht dir nichts? Das werden wir ja sehn. Und die Mutter sperrte Jürgen in den Keller. Mütterlich – mit zwei Kisten zum Draufsitzen und einer Decke zum Wärmen. Es war Jürgen aber ein trotziger Bub. Ätsch, ich hab Licht und keine Angst, Ätschbätsch. Da drehte die Mutter oben die Sicherungen heraus. Und Jürgen unten verging der Trotz, so daß er bitterlich zu weinen anfing und jämmerlich flehte in der finstern Grube. Bittebitte laß mich raus. Nie mehr schmutzig heimkommen. Nicht lange. Mutter ließ sich erweichen. Schloß auf. Aber aber, ein Bub heult doch nicht.

Der Vater auf väterliche Weise. Knöchel auf den Tisch. Knallhart. Knallhart strafen. Das gibt es nicht. Wo gibts denn das. Windelweich, daß dir Hören und Sehen vergeht. Eine Bohnenstange aus dem Garten geholt. Und zugeschlagen. Geschlagen und geschlagen, daß die Bohnenstange brach, mit dem Stumpf weitergeschlagen, kurz und klein, geschlagen und geschlagen und die Mutter dabei, nicht auf den Kopf, Heinz, nicht auf den Kopf, und schnaubend und ächzend und keuchend weitergeschlagen, bis er nicht mehr konnte. Dann völlig fertig. Außer Atem. Zusammengesackt. Gebrochener Mann. Wollte ja nur das Beste. Mir hat die Prügel, die ich von meinem Vater bekommen habe, nicht geschadet – ich bin dankbar für jeden Schlag.

Jürgen im Wald, am Bach. Kein Blick für Schnecken. Es war Krieg. Mit Pfeil und Bogen, mit Holzschwertern. Jürgen hatte sich einen Tomahawk gemacht. Krieg über den Mississippi. Die Sioux gegen die Apachen. Jede Bande mit einem Großen. Die Häuptlinge traten vor, einander gegenüber, zwischen ihnen der Bach.
Willst du was?
Willst *du* was?
Komm nur her, wenn du was willst.
Komm *du* doch her.
Du hast ja bloß Schiß.
Wer hat hier Schiß?
Du machst dir ja in die Hosen.
Komm doch her.
Komm *du* doch her.

Schon immer und immer auf demselben Fleck in einer dämmrigen Ecke des Dachbodens die Truhe – braun, mit angelaufenen Messingbeschlägen und einer Fülle bunter Blumen, deren Farben müde geworden waren vom vielen Reisen, von der Seeluft, vielleicht Seeräubertruhe, Schatztruhe, Truhe eines reichen Rittersmannes, vor Zeiten übers Meer gereist, im Bauch eines Segelschiffes, Dreimaster, immer schon verschlossen die Truhe, bestimmt Gold und Silber drin oder sarazenische Schwerter, arabische Dolche. Oder hatte einem al-

ten Juden gehört, bucklichter Wucherer hatte Münzen drin gehortet. Oder Pistolen, alte, schwere, silberbeschlagen und mit langen Läufen.
An einem Tag, an dem leise der erste Schnee fiel, kam Onkel Kurt. Kurz geschnitten das glatte Haar, Seitenscheitel, farblose Wimpern über wasserhellen Augen. Kriegskamerad von Papa. Betete nicht vor dem Essen – Jürgen sah es aus den Augenwinkeln. Kartoffelsalat mit Würstchen. Danach ausnahmsweise nicht in die Kirche. Kragen aufgeknöpft. Onkel Kurts Jackett über der Stuhllehne und Prost mein Alter, mit angewinkeltem Arm das Schnäpschen gekippt und der Vater so anders als sonst, richtig fröhlich, Mutter, setz dich zu uns, laß den Abwasch, trink auch ein Schnäpschen, gutmütiger Papa, kaum noch gefährlich, Jürgen hatte fast keine Angst mehr vor ihm. Vom Krieg war die Rede, vom Rußlandfeldzug, und noch ein Schnäpschen auf alte Zeiten und auf die Kameradschaft, und weißt du noch – hundertundzwanzig Russen im Graben und über sie wie das Jüngste Gericht, mit Schippen und Spaten, wußten gar nicht, wie ihnen geschah. Totgeschlagen, allesamt totgeschlagen. Und die Mutter, die aufsprang, Mörder, die Mutter schreiendes Tier, Mörder, zehn Jahre lang mit einem Mörder im Bett. Und dann das Schweigen, die Fröhlichkeit am Tisch dahin, bis Vaters Kriegskamerad sein Glas hob, Prost Heinz, davon verstehn die Weiber nichts. Und die Mutter, die aus dem Ehebett auszog und oben schlief, bei ihren Buben, und Jürgen, der sie trösten wollte, die schöne, unglückliche Mutter, Jürgen, der zu ihr hielt, heimlich, nur zu ihr, gegen das Vaterungeheuer, Jürgen, der für sie einkaufen ging und dann mit auf den Dachboden durfte, aufräumen. Einen Schlüssel holte die Mutter aus der Schürzentasche und öffnete die Truhe, schweigend, und schweigend stand der Sohn dabei, nichts gab es zu sagen, bloß da sein, bei ihr sein, und die Mutter klappte den Deckel hoch.
Später wußte Jürgen nicht mehr, ob sie gut erhalten gewesen war oder halb vermodert, die Uniform des Vaters, ordentlich zusammengelegt, und obenauf die angelaufenen Orden. Das Abzeichen für den Rußlandfeldzug kühl auf Jürgens Handteller. Die Mutter hatte alles zusammengerafft, hinunterge-

tragen und in die Mülltonne geworfen. Der Vater hatte es nicht gleich gemerkt.
Tief getroffen, als er es merkte. Wochenlang in sich verkrochen, wochenlang kein Wort, nur Guten Tag und Aufwiedersehn. Und die Mutter, die was ist fragte, obwohl sie wußte, was war, und er, der nichts sagte, gar nichts, ich bin bloß korrekt. Wochenlang kein Wort beim Essen, kein Wort beim Kirchgang. Irgendwann kam er dann nach Hause mit einem Rosenstrauß und sieben Pfund Forellen, drückte der Mutter den Fisch und die Blumen in die Hand, und alles war wieder wie früher, nur daß Jürgen nicht mehr von der Truhe träumte, sondern davon, wie er einen BMW klaute und die Deutsche Bank überfiel. Schwarze Lederjacke, schwarzer Helm, schwarze Lederhosen, schwarze Stiefel, Empee im Anschlag, so stand er in der Schalterhalle und raus mit einem Sack voll Geld, abgebrummt mit der schweren Maschine und die große Flucht durch das Verkehrsgewühl der Innenstadt. Während Anna am Küchenfenster stand als seine heimliche Braut. Mußte warten, geduldig warten, bis daß ihr Liebster sie holen würde, an seiner Seite zu kämpfen für Freiheit und Gerechtigkeit, den Reichen zu nehmen, den Armen zu geben. Mußte warten, treu warten. Und doch war er immer da. Und wenn Hanna etwa tot, dann würde er mit ihr am Grab stehen, sie in die Arme nehmen, sie sanft fortführen.

Über ein Jahr, nachdem Anna und Jürgen die Schnecken hatten beten sehen, als das Korn nicht mehr grün und noch nicht gelb war, aber hier und da schon zart andeutete, daß es gelb werden wollte, führte Jürgen seine Anna durch das Tor in die elterliche Burg. Der große Garten, das getäfelte Vestibül. Es war still in dem Haus, die Eltern noch nicht da, nur irgendwo in einem Zimmer ein Großvater, der einmal ein kariertes Schnupftuch aufgeknotet und Jürgen feierlich zwanzig Pfennig geschenkt hatte. Alles still und ordentlich und sauber, keine Flusen auf dem Teppich. Seltsam einschläfernd das Wohnzimmer, so trocken die Farben, Novemberfarben, wenn kein Blatt mehr an den Bäumen ist und die Erde nichts mehr hergibt. Ein Schweigen ging aus von den Kissen auf der Couch, eins neben dem anderen, jedes mit einem Knick in der

Mitte, stumm die Standuhr, kein Ticken, starr der Zeiger. Aber ein Spruch an der Wand, in Schnörkelschrift, von bunten Blümchen umrahmt: Aus einem verzagten Arsch kommt kein fröhlicher Furz. Anna wollte weg und konnte nicht, wußte, der Einlaß in die Burg war Ehre und Auszeichnung. Er sah nicht, was sie sah – sein Zuhause. Zwei Stufen auf einmal nehmend, sprang er unbeschwert die Treppe hoch, sie hinterher, so unerklärlich müde, stand verlegen in seinem Zimmer herum. Das Foto des Vaters gegenüber dem Bett – Brustbild, junger Soldat, das Haar noch dicht und dunkel, Adler und Hakenkreuz über der Brusttasche. Und die kleine Papptonne, bunt beklebt, für die schmutzige Wäsche. Anna ganz still und Jürgen, der alles zeigen wollte, die Tür zum Elternschlafzimmer öffnete: großes Bett, Birke geflammt, zwei schneeweiße pralle Kissen, aufrecht stehend, jedes mit seinem Knick in der Mitte, kahle Frisierkommode, auch Birke geflammt, Schrank, die ganze Wand entlang, auch Birke geflammt, wolkige Gardinen, samtene Vorhänge. Ein Geräusch unten in der Diele, und Jürgen machte die Tür schnell wieder zu.
Die Mutter war gekommen und lud Anna zum Essen ein – das ist aber schön, daß du uns mal besuchst. Jürgen verkrümelte sich, und Anna folgte der Mutter in die Küche und half mit wohlerzogenem Gesicht und wohlerzogenen Bewegungen bei den Vorbereitungen zum Abendbrot, während Kiki der Kanarienvogel in seinem Bauer auf und ab hüpfte und gegen sein Spiegelbild pickte. So zahm, sagte die Mutter stolz, daß er nie rausfliegt, obwohl das Türchen offensteht. Jetzt darfst du die Kartoffeln reiben. Das vertrauliche Schweigen in der Küche, nur das Reibegeräusch am Tisch und das Rührgeräusch am Herd, wo die Mutter einen Pamps für den unsichtbaren Großvater bereitete. Und dann das vertrauliche Gespräch unter Frauen. Mein Jürgen, sagte die Mutter und erzählte Geschichten aus der Zeit, als er noch ein Baby war.
Es kamen die Brüder, es kam der Vater. Anna deckte den Tisch. Vor dem Essen wurde gebetet, der Vater sprach die Worte, die Hände gefaltet, den Kopf gesenkt, allmächtiger Vater, wir danken dir, segne, gütiger Vater, wir bitten dich, am Ende sagten alle Amen. Anna schaute auf und bemerkte,

wie ähnlich sich Vater und Sohn Jürgen sahen. Das gleiche glatte Haar, beim Vater schon gelichtet und mit grauen Strähnen, die gleichen dunklen Augen, nur blickten die des Sohnes am Eßtisch geduckt. Der Vater beherrschte den Tisch mit seiner alltäglichen Wut. Der Meier Fritz feiert schon wieder krank. Und der Körner Ludwig auch. Man sah ihm an, daß sie ihm das Leben vergällten, die Arbeiter. Die Mutter wurde plötzlich aufsässig. Dann hat die Meier Gret ihren Mann wenigstens mal zu Haus. Die Zunge der Mutter stolperte, die Augen zwinkerten und hatten etwas merkwürdig Verschwommenes. Gell Anna, sagte die Mutter, und Anna roch etwas, einen Atemzug lang etwas, eine Erinnerung an das Brauereipferd, das jeden Freitag vor dem Gartenlokal stand. Die Brüder beschäftigten sich mit dem Essen, der Kleinste pickte die Champignons aus dem falschen Hasen. Krank feiern und abends in die Kneipe, sagte der Vater erbittert. Das hätts unterm Adolf eben nicht gegeben. Wie die Zucht, so die Frucht. Das war alles nicht so, wie man sagt. Jürgen schob den Teller von sich. Solange du deine Füße unter meinen Tisch stellst, wird aufgegessen. Jürgen zog den Teller wieder zu sich heran. Und von den Kazetts haben wir nichts gewußt. Es gab solche Juden und solche. Und die Elsner Lotte ist mit zweiundsiebzig ins Kazett gekommen und mit siebenundsiebzig wieder raus. Ich war nie im Kazett, aber so schlimm kann es ja dann nicht gewesen sein.
Anna sah, wie Jürgen den Vater ansah, mit einem scheelen Blick von unten herauf. Aufstehen wollte Anna, das Haus verlassen, auf der Stelle, die Tür hinter sich zuknallen und Jürgen nie wiedersehen, wollte Jürgen aber doch wiedersehen, am Bach Küsse tauschen, das Wasser schwatzen hören und küssen, mit ihm in der Wiese liegen, auf dem Rücken und in die Wolken schauen, stand auf, aber nur, um zur Toilette zu gehen, saß dort eine Weile, trug dann ihren Teller in die Küche und fing an abzuwaschen, bis die Mutter mit den ordentlich leer gegessenen Tellern kam und den Spülstein übernahm, Anna das Handtuch zum Abtrocknen. Sei keine Mimose, sagte die Mutter. Es hat immer Judenverfolgungen gegeben. In Spanien genauso, die Königin Isabella –

In aller Stille befand Anna, Jürgen habe ein Karnickelherz. Wenn sie jetzt neben ihm das Bergelchen hinunterschlappte, war alles öd und freudlos leer. Mariechen ging von Liebesromanen zu Kriminalromanen über, und Anna hatte Hunger, dauernd Hunger – soviel sie auch aß, sie hätte immer noch mehr essen können. Es war, als sei sie leckgeschlagen, und durch das Loch floß alles, was sie in sich hineinstopfte, wieder heraus.
Anna trug Hannas Schmerzensgesicht. Jürgen schwieg und sah verdruckt und trotzig aus.

Die Dornenhecke hatte sich nicht geteilt, der König war als Frosch in den Brunnen zurückgehüpft. Heimgekehrt war die verlorene Tochter in die offenen, in die ausgebreiteten Arme der Mutter, zerknirscht heim zu Hanna, eben noch aufmüpfig, aufständisch, nun wieder ganz klein, trösten sollte Hanna – puste mal, Mami. Außer sich stürzte Anna zurück in den Mutterschoß, wurde aufgefangen, aufgenommen – denn diese meine Tochter war tot und ist wieder lebendig geworden. In ihrem Leid getröstet, eingehüllt in die berückende bestrickende Stimme der Mutter, die ihr ein Taschentuch reichte, wenn sie weinte, und sagte, Ännchen, ich würde dir so gerne helfen. Mitleidig war Hanna, mit-leidig und Anteil nehmend, Annas Oase in der wüsten Welt. Deckte das Kind zu, abends im Bett, mummelte es schön warm ein, und Anna wollte schlafen, immer nur schlafen.
Des Nachts kotzte Marie, und Hanna trug den Eimer hinaus. Am Morgen mit Hanna das Bergelchen hinunter, vorbei an den grienenden Gartenzwergen, vorbei an den Schrebergärten voller Sonnenblumen, die tragisch die Köpfe hängen ließen. Auf einer Bank mit Hanna, neben Hanna, in stumpfer Unruhe neben Hanna, die still über die Wiese schaute und mit Anna litt, jedoch ohne Leidensmiene – verschwunden war Hannas Lebensunmut, heimgekehrt die verlorene Tochter, sie war verloren und war wiedergefunden worden. Es hatte die Mutter gewarnt, geh nicht, mein Kind, Lug und Trug macht der Wind, wo glatt die Leiber der Bäume sind. Das Mädchen aber hatte nicht hören wollen, war die singenden Bäume suchen gegangen, immer weiter in den Wald hinein,

bis dahin, wo er am tiefsten war. Unheimlich und still war es da und das Mädchen auf einmal klein und verlassen unter dem vereisten Blick des Schweige-Untiers. Da hatte es bereut und der Mutter gedacht, die sich nun sorgen würde, daheim, und hatte gerufen, aus tiefster Not gerufen nach der guten Feenmutter und ihren Trostliedern. Und sie war gekommen, war da, wie nur sie da war, für Anna mit der Magie ihrer Stimme und weit offenen Armen.

VI

Der Sultan winkt
Zuleima schweigt

Mehr als eine Laus war über Pauls Leber gelaufen. Der Winter ging, der Frühling kam – vom Küchenfenster aus die ersten Knospen in dem verwilderten Garten zwischen Mietshausfronten. Pauls Leber war der Läuseheere müde geworden. In dem Garten war ein Bäumchen gewesen, so dörr, so arm – abgestorben, hatte Paul gedacht. Als er wieder hinsah, wußte er nicht einmal mehr, welches es gewesen war. Alle waren sie grün belaubt. Noch nie hatte er den Frühling so erlebt. Farbflecken überall in der Stadt. Zuerst das Gelb der Forsythien. Dann das Weiß der Kirschbäume, das fleischige Rosa der Magnolien, nur wenige Tage, sie welkten faulend, krankes Braun und das blasse Violett schwerduftender Schwertlilien. Als es noch einmal kalt wurde, grau und tiefhängend der Himmel über Berlin, wechselte Paul vom Sofa ins Bett. Vom Bett aus die Tulpen – rot und schamlos standen sie offen, Huren, grell geschminkte, steinreiche alte Weiber, obszön kehrten sie die Blütenblätter nach außen, neigten die Stengel aus der Vase, beugten sich gierig vor.
Der Frühling ging, der Sommer kam. Pauls Leber wollte nicht mehr, sich nichts mehr gefallen lassen, hatte genug. Auf dem Nachttisch im Krankenhaus eine Rose, als die ausgestreckten Arme einer Tänzerin sah Paul ihre Blätter, graziös und schwerelos. Von Degas sprach Paul zu Marie und Rosamunde, die an seinem Bett saßen und seine Hand hielten, während die Blüte sich öffnete und dann langsam welkte, von außen nach innen eins nach dem anderen die Blätter fallen ließ.

Nach der Zeit der Starre feierten Paulus und Paulchen Auferstehung in Marie. Die Gereiztheit zwischen den Gatten wie nie gewesen, das ohnmächtige Wüten vergessen, vergessen Pauls Gesicht, wenn er den blauen Blick bekam, nie hatte es Friedloses gegeben in der Ehe mit ihm, und immer, sagte sie, sofort, jederzeit würde sie ihn wieder heiraten. Und rauchte die erste Zigarette ihres Lebens, eine Burnus, und verabredete sich mit Rosamunde Born im Café Kranzler – zwei Damen, die, jede mit ihrem Hut auf dem Kopf, in die heiße Schokolade bliesen, Schwarzwälder Kirschtorte aßen und dies und das redeten. Pauls Name mochte bloß nebenbei fallen – ge-

genwärtig war Er trotzdem, elegant wie immer, der eine und einzige, mit einem Lächeln für jede und einem zärtlichen Blick. Ihm war es recht so, er freute sich, daß die beiden Frauen doch noch zusammengefunden hatten. Hanna staunte und hielt sich da heraus, hatte nichts vergessen mit ihrem Elefantengedächtnis, fand sie nach wie vor doof und spießig, Pauls Rose, und geziert wie ein Zirkuspferd, nahm sie ihm nach wie vor übel, diese und all die anderen Olgas, und traf nur wider Willen, bei ziellosem Wandern im Geiste, zuweilen auf den schönen Vater, der einst an ihrem Bett gesessen und schwermütige Märchen aus dem Norden vorgelesen hatte. Blumen brachte sie ihm nicht aufs Grab, blieb aber seine Tochter, kurzsichtig, ängstlich und fein auf eine stille, nicht übertriebene Art, darauf bedacht, Bazillen zu meiden, vergaß auch nie, sich die Hände zu waschen, graulte sich vor Spinnen und fürchtete sich gewaltig vor Einbrechern und Gewitter, hatte jedoch Kobus zu ihrer Beruhigung und ihrem Schutze, Jakob den Furchtlosen, der ihr mit seinem Leichtsinn allerdings auch manche Sorge bereitete. So daß sie mahnen mußte, ihn zurückhalten, dagegen angehen – siehst du das nicht ein, das mußt du doch einsehen. Erst zwei Jahrzehnte später, nachdem Jakob ebenfalls gegangen war, auf andere Weise als Paul und dennoch wie gestorben, aber auferstanden in dem Kind, das er Hanna hinterlassen hatte, konnte auch sie vergessen und geschichtenreich der verlorenen Zeit gedenken, da Jakob noch ihr Tor zur Welt war, Jakob der Sagenvater, den Anna so gründlich vergessen hatte, seitdem er stillschweigend fortgegangen war und in getragenem Ton gehaltene Briefe aus Amerika schrieb. Jeden Monat einen. Nie, sagte Hanna dann manchmal beim Kartoffelschälen oder Erbsenauspalen mit einer Schwermut, die aufzulösen sich Anna immer schuldbewußt und meistens vergeblich mühte, nie habe ich so viel gelacht wie mit Herzog.

Der güldene Schein, von dem Paulus und Jakob umgeben waren, wenn sie bei den Gesprächen der Frauen in der Dämmerstunde ihren Auftritt in Mariechens Zimmer hatten, wollte selbst dann nicht verblassen, als es draußen längst keine Dachwohnung mehr gab, nur noch die drinnen, die Anna mit sich herumschleppte, ein großes Mädchen geworden, doch

Hannas Kleine geblieben, unsterblich in stillstehender Zeit, und erst als die hundert Jahre vergangen waren und Dornröschen sich, unerlöst aufgewacht, auf die Suche nach der dreizehnten Fee gemacht und diese auch schon mal gefunden und am Rocksaum berührt hatte, kam Anna auf den Gedanken, daß vielleicht doch nicht alles so war, wie Hannaundmarie es bei den Gesprächen der Frauen hingestellt hatten.
Sicher waren Mariechen und Röschen bald über heiße Schokolade und Schwarzwälder Kirschtorte hinaus und besuchten sich zu Hause, wo man den Hut ablegen und ungestört plaudern konnte, sicher nahmen Röschens Eltern Mariechen freundlich auf, beinahe wie eine Tochter, aber da war noch etwas anderes: Mariechen mußte dankbar sein, den Borns und den Pilligs, dem Zigarettenfritzen um die Ecke, ihrem Schwiegersohn und besonders ihrem Mann, als der noch lebte. Zeit der Ohnmacht, Zeit der Stiefel. Es lag ja Weihe über dem deutschen Land und war kein Platz für solche wie Marie. *Ein völkischer Staat wird in erster Linie die Ehe aus dem Niveau einer dauernden Rassenschande herauszuheben haben, um ihr die Weihe jener Institution zu geben, die berufen ist, Ebenbilder des Herrn zu zeugen und nicht Mißgeburten zwischen Affe und Mensch.* Hätten nicht jene Legionen von Läusen Pauls Leber hingemacht, so daß er sterben mußte, schon im Jahre vierunddreißig, als gerade erst der Vorhang hochgegangen war über der Großen Oper, wäre im weiteren Verlauf der Geschichte vielleicht noch ein Augenblick gekommen, da Paul, dem die arischen Gesänge ja so fremd nicht waren, da auch dem empfindsamen Paul wie so vielen anderen das Rassegewissen geschlagen hätte.
Zaghaft angeklopft hatte es schon einmal, im Frühsommer dreiunddreißig, als Paul noch nicht wußte, daß er nurmehr ein Jahr vor sich haben würde. Damals hatte er erwogen, sich scheiden zu lassen, bloß der Form halber, erklärte er, natürlich bloß der Form halber, erklärte er versuchsweise, seiner Sache selbst nicht ganz sicher, um dann, von seinem Freund van Dyke an Ehre und Anstand erinnert, nicht weiter davon zu reden.

Neunzehnhundertsechsunddreißig: *In unermüdlicher Arbeit waren die Vernunft, das Gewissen und das Herz der Berliner Bevölkerung erobert worden.* Die Freunde wurden weniger – die einen wanderten aus, die andern zogen sich zurück. Nicht alle. Pilligs nicht und auch nicht Wagner, Lotte Pilligs grundsolider Mann, obwohl der Beamter und in der Partei war. Unberührt von der neuen Zeit, saß der Kater Jacky auf dem Balkon, die Vorderpfoten gemütlich nach innen geknickt, schaute hinunter mit schläfriger Neugier, ob die Straße nun morgendlich still war oder Heilrufe zum Himmel stiegen, an Tagen, wenn marschiert wurde, zackig, und gestreckte Arme vom Straßenrand grüßten. Unbegreifliche deutsche Zeit der Männerstiefel und der Frauenzöpfe, Zeit der großen ewgen Werte und der Denunziationen. Jemand, vielleicht Lola Rominski, vielleicht jemand anders, es konnte jeder sein, irgend jemand zeigte Hanna und Jakob an, einmal und, als das nichts nützte, ein zweites Mal – da war es endgültig aus mit der Zeitungsschreiberei. Mitgerissen von der neuen Zeit, verschwand Mariechens Terrier Johnny. Spurlos. Verzweifelt suchten Hannaundmarie ganz Schönberg ab, Innsbrucker Platz, Uhlandstraße, Hildegardstraße, Volkspark. Nichts. Schon wollte sich Paulus im Grabe herumdrehen, da fanden sie ihn im Kaisereck, einem SA-Mann zu Füßen. Sah Marie nicht, sah Hanna nicht, tat, als gehöre er zu den köstlich duftenden Stiefeln. Und Hanna bekam den Mund nicht auf im Angesicht der Uniform. Es war Mariechen, die ihren Hund beim Namen rief, und Johnny erinnerte sich, zu wem er gehörte, wohl oder übel.

Jakob war mit Hanna zu Marie in die schweigende Wohnung gezogen, ins Herrenzimmer, wo noch immer l'Inconnue de la Seine in süßer Demut duldete. Nebenan, im Berliner Zimmer, hauste ein Untermieter, ein Krüppel. Der war verhaftet und verhört worden und vorher kein Krüppel gewesen. Und war so still, daß man ihn fast nicht merkte. So daß sie wie in alten Zeiten wieder drei waren. Marie führte den Haushalt, kochte und ging einkaufen und behauptete, es mache ihr nichts aus, daß Frau Knecht sie nicht mehr grüßte. Hanna schrieb keine aufmüpfigen Artikel mehr für Recht und Gerechtigkeit und auch keine weltklugen Geschichten mehr, bekam aber das Frühstück von Marie ans Bett gebracht und trank, nachdem Jakob sich unwillig zur Wand gewälzt hatte, mit geschlossenen Augen langsam ihren Kaffee, um dann in Eile das Haus zu verlassen und Briefe zu tippen in einem Vorzimmer am Kurfürstendamm für Frau Elise Bauer GmbH, Hersteller von Augenfeuer und Loreley (gegen Haarausfall und Schuppen), Pasta Divina und Goldliesel, Puder und Puderunterlage (für fettige Haut, verleiht ihr einen entzückend matten Schimmer), *denn nur wer sich aus der rassischen Gemeinschaft heraus seinem Volke verbunden und verpflichtet fühlt, darf es unternehmen, mit einer so tiefgreifenden und folgenschweren Arbeit, wie sie das geistige und kulturelle Schaffen darstellt, einen Einfluß auf das innere Leben der Nation auszuüben.*

Gülden sollte jene Zeit erst später werden, als auch wieder drei waren, Großmutter, Mutter und Kind, aber der Mann fehlte, der starke und der schützende Arm, die Schulter zum Anlehnen, die feste Hand, die fremde Türen öffnete, und der breite Rücken, der voranging in fremde Häuser, der breite Rücken und sein Windschatten. Gülden wurden sie jedoch nur für Hanna, die Jahre mit Jakob – für Marie blieb Paulus der eine und einzige, dem andern, dem bäurischen Tochtermann mit den ewig rutschenden Socken und den Furunkeln im Nacken, konnte sie selbst in der Erinnerung nichts abgewinnen, und einzig Hanna vergaß nicht, wie er einst ausgezogen war, mitten in der Nacht, um Schokolade aufzutreiben für seine Schwiegermama, die ein Gelüst überkommen hatte.

Niemals verstand Anna, warum er sie verlassen hatte, der Mann, ihr Vater, die Frau, ihre Mutter. Ohne Fehl und Tadel stand Hanna da, vor ihrer Tochter in der Dachwohnung, bei den Gesprächen der Frauen, wenn wieder die Zeit war, als es noch keine Anna gab und doch drei waren. Wäre *sie* nicht gekommen, die andere, die neue, *sie*, deren Name selten, fast niemals ausgesprochen wurde, wäre sie nicht dazwischen gekommen, hätte sie sich nicht dazwischen gedrängt, hätte sie ihn nicht weggelockt, weggenommen, festgehalten, wäre *das* nie geschehen. So weit verstand Anna. Und später, als es

keine Dachwohnung mehr gab und kein Mariechen mehr und kaum noch Hanna, verstand Anna noch etwas weiter. Sah die Bittermiene ihrer Mutter, Hanna die Festung, kraftlos, aber uneinnehmbar in der Sonntagsstille. Da, wo der Erker sich zur Straße hinausbauchte, spannte sich die gelbe Brücke über dem blauen Flüßchen, matt im trüben Licht des Novembertags. Die Regentropfen an den Fensterscheiben, das gleichmäßige Bullern des Ofens. Jakob im Pyjama auf Hannas Bettrand, Hannas Brust unter seiner Hand. Hanna ganz still, das aufgeschlagene Buch auf der Bettdecke, daneben die Brille, die Jakob ihr vorsichtig abgenommen hatte. Mit geschlossenen Augen lag Hanna, ließ sich streicheln. Die fernen Verkehrsgeräusche auf der Berliner Straße und Hannas Brustwarze unter Jakobs offener Handfläche, ein Knacken im Ofen, und Hanna machte die Augen auf und horchte erschrocken. Was knackt denn da so komisch?
Jakob zog die Hand zurück und erschlaffte. Nebenan stellte der Untermieter, der neue, der eingezogen war, nachdem Jesonek, der Schweigende, der zum Krüppel Geschlagene, gestorben war, das Radio an. Gedämpft durch die Wand die Hitlerstimme, die Worte nicht zu verstehen, nur das heisere Belfern, und Jakob stand auf und fluchte laut seine Erbitterung heraus, und Hanna sagte leise: Nimm es mir nicht übel – ich bin so furchtbar abgespannt.
So weit verstand Anna und hörte Jakob mit hessischem Zungenschlag grimmig witzeln: Der Sultan winkt, Zuleima schweigt und zeigt sich gänzlich abgeneigt. Aber weiter verstand sie nicht. Er war nicht erreichbar, der Mann, den eine Unruhe, ein Wollen hinausgetrieben hatte aus dem Dorf in die Stadt Berlin, wo er angekommen war und niemand gekannt hatte und niemand gewesen war. Möbliertes Zimmer in der fremden Stadt und den Traum der Mutter nicht erfüllt. Bankkaufmann hatte er werden sollen. Tänzer hatte er werden wollen, wars gewesen für kurze Zeit und dann nicht mehr. Dann Lola Rominski, die mit ihrem Papa sprach, der dem jungen Mann eine Chance gab. Und dann Hanna Feuerbach, die auch mit ihrem Papa sprach, der dem jungen Mann auch eine Chance gab, ihm sogar, nachdem er sich einmal abgefunden, väterlicher Freund wurde, Vater, wie Jakob nie

einen gehabt hatte, kein Flaschengeist, kein Ich-schlach-dich-tot. Mit diesem gab es Gespräche. Zusammenfinden bei einer Flasche Wein und noch einer, zu Hause auf dem Ledersofa im Herrenzimmer oder in der Weinstube Habel, beide mit Haltung trinkend, der eine mit etwas mehr, der andere mit etwas weniger, der eine elegant, Monokel im Auge und Burnus rauchend, der andere salopp, auf der Tischdecke Tabakskrümel von seinen Selbstgedrehten. Einig gegen den Herrn Brecht mit seinen dreckigen Fingernägeln und gestohlenen Songs. Diebesgut, sagte Jakob, alles Diebesgut. Einig, keine Frage, gegen Hannas rote Neigungen. Heute rot, morgen tot. Vorsichtig vereint auch in dem Unbehagen, dem tiefempfundenen, an Hannas scharfzüngigen Freunden im Romanischen, denen nichts heilig war, die keine Grenzen kannten und Jakob den Sentimental Jimmy nannten. Paul hatte seine eigenen Erfahrungen mit der verfluchten Judenwirtschaft – Mariechen war natürlich etwas anderes, das war eine Ehrenchristin. Einig, aber nie geschmacklos waren Paul und Jakob, wenn es um die Frauen ging, jeder auf sein Weise ritterlich, von Mann zu Mann einig über das Wesen der Frau, eigentlich doch zum Dienen geschaffen und zum Warten. Einig über die gesprochenen Worte hinaus, le féroce dent de femme, sagte Jakob und hob sein Glas, und beide tranken und grinsten und wußten, was gemeint war, zwei alte Kämpen, schwer blessiert und doch kein Gejammre über das Ungemach, das ihnen widerfahren, kein primitives Ärmelhochkrempeln und die Narben Herzeigen, hätten beide ein Lied singen können von der Weiber Lug und Trug, Verrat und Widerspenstigkeit, beschränkten sich als Gentlemen jedoch darauf, bloß ein paar Töne anzuschlagen, obwohl das nervenzermürbende Nörgeln allein eine große Ballade abgegeben hätte – wie sie dem Manne zusetzen und wie sie ihren Körper einsetzen, da mußte Jakob Pater Ildefons wiederholter Warnung gedenken, das Weib als Gefäß der Sünde, aber davon lieber nichts, zu ferne lag dem väterlichen Freund das Biblische, wußte sich dennoch einig mit ihm über das Gefühl des Verlusts, das keine Frau je verstehen würde, omne animal post coitum triste, mehr war darüber nicht zu sagen. Es gab Wichtigeres. Fragen der Laufbahn. Behutsam führte Paul den jungen Mann ein in das, was er gelernt hatte auf seinem Wege, der beschwerlich genug gewesen war. Ganz allein hatte er laufen müssen. Es war ja sein Vater ebenfalls ein Flaschengeist gewesen. Ick schlach dir tot. Auch das hatten sie gemeinsam, das Wissen, wie das ist, wenn Krieg ist im Heim und der Vater marodierend durch die Wohnung zieht und die Mutter die Hände ringt und zum Himmel schreit.

Als Paul tot war, sollte Jakob, mit Hanna bei der Schwiegermutter hausend, so manches Mal voller Trauer zurückdenken an den weichherzigen, den zarten Mann und wie er die rechte Augenbraue hochgezogen hatte, wenn Maries Stimme gell wurde und was er geduldet haben mußte. Le féroce dent de femme. Die hagere Schwiegermutter hochaufgerichtet vor seinem Bett. Würdest du endlich geruhen? Die Güte haben aufzustehen? Er, todmüde, bis tief in die Nacht Sir Galahad gelesen, blieb liegen, konnte aber nicht mehr schlafen, hörte dem Scheppern und Rumsen in der Küche an, daß es Zeit war, höchste Zeit, schlurfte verschlafen in die Küche, kippte den kalten Kaffee hinunter, stopfte ein Brötchen in sich hinein und flüchtete dann, noch kauend, vor den feuerspeienden Augen der Drachenmarie in seine Dunkelkammer. Enger Raum, trocken die Luft und stickig, war mal Mädchenkammer gewesen. Jetzt roch es nach Entwickler, und Jakob mit seinem Durst mußte raus, ein Glas Wasser trinken und wieder rein und bald schon wieder raus, ein neues Glas, schnell, in Gedanken bei den Bildern drinnen, hörte kaum auf ihr Schnauben, nimm gefälligst das alte, muß ich alles abwaschen, knallte aber die Tür hinter sich zu, zum Zeichen, daß er genug hatte. Da riß der erboste Drache sie wieder auf und verdarb alles, und Jakob wußte nicht, wohin mit seiner Wut, solche Wut, daß er sie hätte schlagen können, wie er einstmals zurückgeschlagen, die Hand erhoben gegen Tante Mine, ihr den Schürhaken weggenommen, sie zu Boden gerissen.
Auferstanden war Tante Mine, nur ohne Schürhaken, dafür ausgestattet mit einem Hochmut, dem nicht beizukommen war. Bei ihm zu Hause hätte man gesagt: Steck dir doch eine Pfauenfeder in den Hintern. Hatte einfach nichts übrig, die hamburgische Schwiegermutter, für seinen rheinländischen

Witz und wie das so zuging auf dem Marktplatz von Mainz. Eier, gude Eier, schee billich, ihr Leit, kaaft, kaaft Eier. Nichts wollte die Schwiegermutter wissen von den vorgestreckten Hälsen der keifenden Marktfrauen, alt Zoddel, halt bloß dei ungewasche Maul du, nichts von dem Pferdeappel, der, von einer schwieligen Hand geschleudert, in ein weit offenes Weibermaul flog, nichts von der plötzlichen Stille auf dem Platz und dem feierlich erhobenen Arm, der auf den Pferdeappel im Mund deutete: Der bleibt drin, bis die Polizei kommt. Über so was konnte sie nicht lachen, das wunderfeine Mariechen. Du redest wie ein Kutscher. Dann blieb dem verletzten Jakob nichts, als trotzig witzelnd aufzubrausen: Willst du genau erfahren, was sich ziemt, so frage nur bei edlen Frauen an. Worauf Marie wieder mal beleidigte Königin wurde. Lümmel du, treib es nicht zu weit. Laß ich mir nicht bieten, merk dir das. Die ewig brodelnde Schwiegermutter, die solchen Wert darauf legte, was sich gehört, und das Zimer verließ, wenn ein Wind dem entfahren wollte, was sie Derrier nannte und Hanna Derrière. Da wo Jakob herkam, hieß das Hinnern oder Aasch, und Furzen gehörte zum Leben. Und Rülpsen auch. Laß das gefälligst. Benimm dich gefälligst. Es half nichts, Klage zu führen bei Hanna über Mutter Gefälligst. Gefügig paßte Hanna sich ein in den Spalt zwischen ihm und ihr, suchte zu vermitteln, zu binden, erklärte ihm, warum sie so und so, erklärte ihr, warum er so und so. Jakob, eingeklemmt, zwischen Maries gewalttätigem und Hannas sanftem Starrsinn – die Weiber und der Suff, das reibt den Menschen uff.

Es gab aber auch die friedlichen Stunden, in denen Marie und Jakob Puff spielten und Marie ihm Bratkartoffeln machte, mit Speck, spät in der Nacht und nur für ihn, daß du nicht vom Fleisch fällst, min Jung, bis der Krach wieder da war, weil Marie oder Jakob, egal, weil einer zu Unrecht gewonnen hatte, du hast, gar nicht wahr, du hast. Geschummelt? Starkes Stück. Kannst mir den Buckel. Spiele nicht mehr mit dir. Beide zu Hanna, die ahnungslos lesend im Bett lag. Er hat, gar nicht wahr, sie hat. Nie mehr spiele ich mit dem, nie mehr.

Und draußen die Weihe über dem Land. Das Heil zu bringen,

war einer gekommen. Die da glaubten, folgten freudig, gehorchten freudig, stolz darauf, Ihm anzugehören. Es waren nicht wenige, es war eine ganze Bewegung, aber Sein Herz war weit, weit genug, alle zu lieben. Nur nicht die Kuckuckskinder. Die mußten raus, endlich raus aus dem Nest, zu lange schon hatten sie sich die Wänste vollgefressen auf Kosten der anderen. Die da glaubten und befeuert waren, schickten sich an, das Nest zu säubern, die Ordnung wiederherzustellen, den alten Werten neue Geltung zu verschaffen, nicht zimperlich – wo gehobelt wird, da fallen Späne. *Das Schwache muß weggehämmert werden. In meinen Ordensburgen wird eine Jugend heranwachsen, vor der sich die Welt erschrecken wird. Eine gewalttätige, herrische, unerschrockene, grausame Jugend will ich. Jugend muß das alles sein. Schmerzen muß sie ertragen. Es darf nichts Schwaches und Zärtliches an ihr sein. Das freie, herrliche Raubtier muß erst wieder aus ihren Augen blitzen. So merze ich die Tausende von Jahren der menschlichen Domestikation aus. So habe ich das reine, edle Material der Natur vor mir. So kann ich das Neue schaffen.* Die Weihe über dem Nest und die Angst innendrin. War aber kaum was davon zu sehen, kaum was zu hören. Die drinnen hielten still, wohl murrten manche leise, wohl hätten manche gerne aufgemuckt, doch duckten sie sich lieber und schwiegen, mochten den eigenen Zweifeln nicht glauben, zu groß der Vater und gnadenlos die befeuerten Brüder und Schwestern, so rief es sich denn wie von selbst: befiehl, wir folgen dir.
Wer da glaubte, hatte nichts zu fürchten, und wer da nicht glaubte, aber so tat, als glaubte er, hatte auch nichts zu fürchten, außer sich selbst. Nichts Falsches sagen, lieber gar nichts sagen, nicht auffallen, den Mund nicht zu weit aufmachen, lieber ein Wort zuwenig als eines zuviel. Und der Alltag ging weiter für die vielen, die nicht verhaftet und verhört, verhaftet und gefoltert, verhaftet und ermordet wurden.
Im Romanischen Café fehlten Gesichter. Die Gesichter derer, die aus dem Nest geflüchtet waren, rechtzeitig, und der anderen, die sich nicht genug geduckt hatten, in aller Stille totgehackt, im Namen des Vaters, von ausgewählten Söhnen, die ihre Pflicht taten, mehr oder weniger lustvoll. Ringsum die vielen, die nichts damit zu tun hatten, die das alles nichts an-

ging, die genug damit zu tun hatten, ihren Alltag weiterzuleben, und sonst nichts wissen wollten. Nichts von den Kukkuckskindern, von all denen, die nachweislich nicht ins Nest gehörten oder ins Nest gehörten, es aber beschmutzten. Nichts wissen wollten und manches dennoch wußten – der gelbe Stern und *Juden unerwünscht*, nachts der Lastwagen vor dem Haus, die Nachbarn abgeholt, bloß das Maul halten, nichts sagen, sonst geht es dir genauso. Kaum was zu sehen von der Angst, es wurde nur der Blick vorsichtiger, und ein jeder hütete seine Zunge. Nicht angezeigt werden, sich raushalten, durchkommen, überleben, zu machen ist doch nichts. Und der Alltag ging weiter, immer weiter, mit der Angst, von der nichts zu sehen war. Jakob nährte sich von Werbefilmen und kränkte sich, weil niemand, auch Hanna nicht, seine Gedichte würdigen wollte. Hanna ließ sich die Haare wachsen, ihm zuliebe. Nicht lange. Kurzes Haar steht mir einfach besser. Das andere paßt nicht zu meinem Typ. Hanna, die, nicht nur aus Modegründen, die strengen Kleider liebte. Keine Ausflüge in Verspieltheiten. Gestreifte Kleider und bloß kein Ausschnitt. Einen Kragen mußten sie haben. Und Blusen, ebenfalls gestreift und sportlich. Und Schlips. Jakob, auf den die Frauen flogen, weil er seine Baskenmütze so frech trug, weil sein Hinterkopf sich so jungenhaft in die Welt hinaus wölbte. Hertha Finke in ihn verliebt, unsterblich, in ihn und sein Lachen, das so herausfordernd war und dabei so zärtlich, und Jakoba, die sich seiner sicher sein konnte. Jakob standhaft, ein bißchen geschmeichelt, natürlich, aber mehr nicht, jedenfalls nicht viel mehr. Wollte nicht aus sich herausgehoben werden, nicht ins Rutschen geraten, nicht in den Schlund stürzen. Und hatte seiner Verantwortung zu leben. Zwei Frauen zu schützen in dieser großen Zeit – Deutschland erwache, Juda verrecke.

VII
Juda verrecke!

Unter einem weit ausladenden Nußbaum stand Anna auf dem mit Kieseln bestreuten Hof der Pension Rheinblick. Aus den offenen Fenstern des Nachbarhauses tönte leise Radiomusik. Sonntag. Die Dorfstraße ausgestorben. Jemand pfiff. Vögel sangen.
Feines graues Greisenhaar und Tautropfen, in denen die Morgensonne glitzerte. Schimmernde Fäden, kreuz und quer, am Rande weit auseinander, nach innen zu dichter. Und hauchdünne Seilchen bis hinüber zu der Elefantenhaut des Baumes. Noch nie hatte Anna so ein Netz gesehen. Immer waren sie halb zerrissen gewesen und schmuddelig grau, mit Fliegen darin – vertrocknete, angefressene schwarze Klümpchen. Dieses aber, dieses frei in der Luft schwebende, sacht im Wind schwankende Gebilde mit den schillernden kleinen Weltenkugeln, dieses konnte nur von Feenhänden gesponnen sein. So wunderzart und märchenschön, obwohl es klebrig war, das wußte Anna, nicht leicht zu zerstören – die Fäden bleiben an den Fingern hängen, die Spinne läßt sich nicht blicken, verteidigt ihr Netz nicht, baut woanders ein neues. Feenwiege, wollte Anna denken, Bettchen für Feenkinder, wollte nichts wissen von der, die das Netz in Wirklichkeit gemacht hatte, und fühlte doch schon Entsetzen bei dem Gedanken an die Beine. Die hastenden Beine. Als wären sie durch nichts aufzuhalten, als würden sie noch weiterkriechen, selbst wenn man sie totgeschlagen hätte. Kein Entrinnen vor diesen Beinen. Als würde sie wieder auferstehen, die Spinne, noch schrecklicher, immer wieder auferstehen.
Mit dem beruhigenden Gefühl, daß es ja doch nicht stimmte, was sie sich da ausmalte, überließ Anna sich ihren Horrorvisionen, als eine Fliege hineinflog, mitten hinein in das unschuldig glimmernde Netz. Es riß nicht, es wippte bloß heftig, hielt aber stand. Die Fliege zappelte, und aus dem Nichts, von irgendwo, aus irgendeinem Loch kam die Spinne, sie mußte gewartet haben, gelauert in irgendeinem Dunkel. Eben noch war es gewesen, als gäbe es sie nicht, und nun eilte sie über das schaukelnde Netz, sie kannte es, es war ein Teil von ihr, aus ihrem Leib gekommen, sie selbst würde sich nicht darin verfangen. Sicher lief die Spinne über das Netz zu der Fliege hin, einen Augenblick lang stülpten ihre Beine sich

über das strampelnde Opfer, dann begann sie geschäftig, es einzuwickeln in die Fäden des Netzes, geschäftig und geschickt, mit schnellen Bewegungen, von denen offenbar jede ihren Sinn hatte und keine überflüssig war. Die Fliege war bald verpackt, eben noch hatten die Beinchen gezuckt, und nun war da bloß ein Bündel aus aschgrauen Fäden zu sehen, vollkommen reglos. Die Spinne kappte die Fäden, die das Bündel noch mit dem Netz verbanden – zielstrebig hin und her eilend, kappte sie alle Fäden bis auf einen. Anna sah, wie sie das an dem einen Faden hängende Bündel hinter sich her schleppte, geschwind abtransportierte, um es in Ruhe, in dem Dunkel, aus dem sie gekommen, aufzufressen oder aufzubewahren für schlechte Zeiten. Das schöne Netz hing zerfetzt. Die Spinne würde ein neues machen müssen.

Arm in Arm standen Hanna und Anna auf dem Höhenweg und schauten. Abendstille. Weinberge. Auf der anderen Seite des Tales die Burg, aus den bewaldeten Hängen herausragend, steingrau und in vollkommener Ruhe. Unten der Fluß, massig und träge, es tönte das Tuckern der Schlepper herauf. In den Dörfern brannten die ersten Lichter. Plötzlich zerrte Hanna Anna wortlos weg. Da war so ein Schritt, sagte sie, und Anna wußte, brauchte nicht hinzusehen, die Mutter nicht anzusehen, wußte, daß Hanna wieder ängstliche Augen machte. Ein Hinken, sagte Hanna, das klang so unheimlich. Anna wollte sie daran erinnern, daß hier Menschen wohnten, daß erst Abend war, daß hier nichts passieren konnte. Aber sie schwieg. Schweigend gingen sie Arm in Arm den Weg zurück. Kamen an einem Garten vorbei, in dem ein Kind mit einem Ball spielte, einem bunten, den es gegen ein Garagentor dotzen ließ. Das unregelmäßige Rumsen in der abendlichen Stille. Hanna schaute hinüber, murmelte erleichtert, ach, das war es, hatte es trotzdem eilig, zum Gasthaus zurückzukommen. Angst, erklärte sie, hat man oder hat man nicht. Anna hielt die Luft an und verdrehte die Augen. Ewige Angst vor Dieben Mördern Vergewaltigern. So eine furchtbare Sache passiert, sagte Hanna zu ihrer Rechtfertigung. In Amerika, vor ein paar Jahren. Ein Mann. Zehn Mädchen. Alle vergewaltigt und umgebracht.

Er hatte einen Revolver. Das Haus abseits und sie nicht gewagt wegzulaufen.
Ein Mann, zehn Mädchen? Ein Revolver hat doch bloß sechs Schuß?
Du weißt eben nicht, was alles passiert, sagte Hanna. Wenn ein Mann dabei ist, ist es was anderes. Mit Herzog zusammen hatte ich nie Angst. Weil ein Mann dabei war. Mit einem Mann ist es doch ein sichereres Gefühl.
Vor dem ersten Haus des Dorfes saß ein alter Mann auf einer Bank. Krummer Rücken, gebeugter Nacken, die zitternden Hände auf den Schenkeln. Grüßte freundlich mit brüchiger Stimme. Anna hatte keine Angst. Fühlte sich stark. Stark genug für zwei. Würde Hanna schon zu schützen wissen. Weit weg Amerika und der Mann mit dem Revolver. Anna hätte ihn ihm aus der Hand geschlagen. Oder hätte mit ihm geredet. Oder wäre aus dem Fenster gesprungen, fortgelaufen. Der Mann mit dem Revolver hinter ihr her. Anna rannte, rannte in panischem Entsetzen durch den Wald. Der Mann kam näher. Anna stolperte über eine Wurzel. Stürzte. Über ihr das rote Gesicht des Mannes. Der Lauf seines Revolvers an ihrer Schläfe.

Auf der Fensterbank, sagte Hanna, während sie sich mit langsamen Bewegungen auskleidete, sind zwei Fliegenleichen. Die müssen wir unbedingt noch entfernen.
Anna öffnete das Fenster und horchte auf das Läuten der Abendglocken. Ännchen? fragte die Mutter mit ihrer leisen, weichen, warmen Stimme. Hast du gehört? Anna schaute zum Fenster hinaus, brauchte sich nicht umzudrehen, die Mutter nicht anzuschauen, um den Ekel in ihrem Gesicht zu sehen. Blöde, sich so anzustellen. Anna stellte sich nie so an. Packte immer zu, wenn es sein mußte. Für Hanna. Oder sonstwen. Hanna konnte nicht, konnte einfach nicht. Anna anders, konnte alles, wenn es sein mußte. Auch Leichen anfassen? Nein, das nicht. Baumelnde Arme, Hände, die über den Boden schleifen. Kazett. Leichenberge. Verbuddelt, verscharrt, bißchen Erde drauf. Oder verbrannt. Manchmal lebendig. Grauenhafter Tod. Hexen. Scheiterhaufen. Zeit der Inquisition. Nicht dran denken. Wenn du das gewesen wärst.

Angebunden auf dem Scheiterhaufen. Pfahl. Hände im Rükken. Aufsteigender Rauch, Qualm, Flammen. Nicht auszuhalten.
Hanna las. Im Zimmer ein schwacher Geruch, der von draußen kam, von dem Misthaufen gegenüber. Hanna las, auf dem Rücken liegend, bis zum Kinn zugedeckt, die Ellbogen in das Federbett eingesunken. Ihre Augen, die ganz klein waren hinter der Brille mit den starken Gläsern, folgten den Zeilen, bis sie unten angekommen waren und Hanna umblätterte. Plötzlich verzog sie das Gesicht, ließ das Buch sinken, nahm die Brille ab, legte sie vorsichtig auf das Nachttischchen und schloß die Augen. Magenschmerzen. Der leidvoll geschwungene Mund, die vorgeschobene Unterlippe. Horchend sah Hannas Gesicht aus mit den geschlossenen Augen, als ob sie in ihren Leib hineinhorchte. Anna wollte in die Gaststube hinuntergehen, nach einer Wärmflasche fragen. Laß nur, sagte Hanna matt und lauschte dann wieder in ihren Körper hinein, was da drinnen wohl passierte.
Der Schmerz wanderte in Hannas Körper umher. Es gab Zeiten, da waren es die Zähne. Die ganze Wohnung erfüllt von Hannas Angst vor dem Zahnarzt. Ich habe morgen einen Termin bei Kimmig, sagte Hanna bedeutungsvoll beim Abendessen. War bemüht, nicht viel herzumachen von ihrer Angst, sie still für sich zu tragen. Nur ab und zu eine Bemerkung, etwa: niemand geht gerne zum Zahnarzt. Dann wieder das Lauschen in den Leib hinein, was da drinnen wohl passiert. Und immer neue Kuren für den Magen. Die Rollkur. Gewissenhaft ausgeführt. Den Brei essen. Fünf Minuten still auf der rechten Seite liegen, dann auf dem Rücken, dann auf der linken, zuletzt auf dem Bauch. Keinen Bohnenkaffee trinken, keinen Alkohol, Haferschleimsüppchen, jeden Morgen, jeden Abend, bloß keinen Gurkensalat. Gewissenhaft verzichtete Hanna auf alles, was schaden könnte, und fühlte sich doch so müde, so elend, so abgeschlagen. Befürchtete das Schlimmste. Und Anna dann ins Heim. Dieses schwierige Kind. Auch nicht gesund. Mandeln mußten unbedingt raus. Eventuell der Blinddarm. Konnte gefährlich werden. Und die Polypen. Nicht gefährlich, mußte aber etwas geschehen. Monatelang die Frage, was mit Annas Polypen geschehen sollte.

An sich ja nicht gefährlich, bloß auf die Dauer dann doch. Und die Polypen wuchsen und verbreiterten sich und wurden immer gewichtiger, es wurde nur noch mit einem gewissen Schauder von ihnen gesprochen, mit Respekt und seltsamerweise sogar Andacht. Damit ist nicht zu spaßen, sagte auch Mariechen. Das soll man nicht auf die leichte Schulter nehmen.

Am Morgen, als Hanna und Anna nebeneinander am Fenster standen und Annas Zeigefinger, ohne daß sie wußte, was er tat, über einen Riß in der Fensterbank fuhr, stieß Hanna einen unterdrückten Schrei aus. Iiiiii. Hinter der Brille die erschrockenen runden Augen eines niedlichen kleinen Tieres. Iiiiii, faß doch da nicht drauf.

Anna drehte sich nach der Mutter um, die vom Fenster zurückgetreten war. Was ist denn?

Aber das sind doch die Fliegenleichen.

Bloß ein Riß in der Fensterbank? Unmöglich! Staunende Augen, ungläubig geöffneter Mund und ein Rest von Mißtrauen.

Der Dampfer steuerte auf die Anlegestelle zu, die Menschen begannen zu drängeln. Ein Tau flog über die Reling, wurde aufgefangen, um den Poller geschlungen. Das Trappeln vieler Füße über den schwankenden Eisensteg. Im Schiffsbauch leise Musik, Stimmengewirr, Kaffeeduft. Passagiere mit dem Ausdruck von Menschen, die schon lange auf dem Wasser gefahren sind, und jener körperlichen Schwere, die ein gemächliches Dahingleiten, zufriedenes Sitzen und der wechselnde Anblick der Ufer mit sich bringt. Fürsorglich suchte Anna einen windgeschützten Platz an Deck, der Dampfer tutete, die aufbrummenden Motoren übertönten Musik und Stimmen und machten Boden und Bänke vibrieren. Das Schiff entfernte sich von der Anlegestelle.

Hanna band ihr Kopftuch um und erzählte von Jakob und alten Zeiten, von der Wanderung nach Boppard und wie ihnen da plötzlich ein SA-Trupp entgegengekommen war – Hanna an Jakobs Hand hastig über Stock und Stein einen Abhang hinunter, um nicht den Arm heben zu müssen zum Hitlergruß. Anna hörte zu und stellte sich alles vor und lebte alles mit. Langsam trieben die Ufer vorbei, die Weinberge, eine Burgruine, die Loreley kam in Sicht, ich weiheiß nicht, was soholl es bedeuheuten, und Anna war wie immer enttäuscht, daß dieser kahle graue Felsen die Loreley sein sollte. Gleichmäßig tuckernd zog ein Kohleschlepper vorbei, rheinabwärts, über dem Deck eine Leine, an der Unterhosen flatterten, die so groß waren, daß sie für einen Rübezahl ausgereicht hätten. Anna zeigte hinüber, und Hanna lachte, verschämt, wie es ihre Art war, und mit geschlossenem Mund, aber sie lachte, und es kam einer jener Augenblicke, in denen Mutter und Tochter einander trafen, um eine Insel zu bilden, mit fetter schwarzer Erde und üppigem Pflanzenwuchs, ringsum alles fremd und gleichgültig, nur diese beiden kannten sich, waren miteinander vertraut und verbunden durch unzählige Fäden, kreuz und quer. Anna wußte, brauchte nicht zu fragen, konnte sicher sein, so sicher, als ob sie noch im Mutterschoß schaukelte, daß Hanna ihr Leben lang für sie da sein und zu ihr halten und sie nicht verlassen würde, geschehe was wolle, und Anna wollte auch immer für Hanna da sein, bis in alle Zeiten zu Hanna stehen, ihr Schutz und Trutz bieten, geschehe was wolle. Anders als Jakob. Konnte Jakob nicht verstehen, daß er sie verlassen hatte, wo sie doch die eine und einzige war. Daß er den Bund gelöst hatte, um einen neuen einzugehen, mit *ihr* und ihrer Mama. Elisabeth – wie kann man nur Elisabeth heißen! Hanna beschwichtigte, sie kann im Grunde nichts dafür. Anna hätte die andere gerne wild gehaßt, aber da war Hannas sanftmütige Stimme, er ist schon gestraft genug, und Anna mußte die Mutter nur noch mehr lieben, wie sie mit einem Ausdruck stillen Verzichts dasaß in ihrem flaschengrünen Kordkostüm, rührend dünn der Hals aus dem großen runden Bubikragen. Ihr sommersprossiges trauriges Gesicht mit der hervorspringenden Nase in dem milden, schon herbstlich weichen Licht. Der Dampfer tutete und steuerte das Ufer an. Aßmannshausen. Das Dröhnen der Maschinen, ein heftiges Rucken und bald darauf die Neuankömmlinge, die die Treppe hochgetrampelt kamen, aufgeregt einen Platz suchten. Wieder ablegen, weiterfahren. Hanna war ein guter Mensch. Selber so schutzbedürftig und so hilflos und doch immer Verständnis für andere. Und immer auf

seiten der Schwachen. Anders als die anderen. Die anderen Egoisten, kalt, kaltschnäuzig, kümmerten sich nicht um die Armen und Unterdrückten. Nur Hanna – Hanna fühlte gerecht. Empörte sich von Herzen über das Unrecht, das geschah. Immer ein offenes Ohr, tröstende, teilnehmende Worte. Der einzige Mensch, dem Anna ganz vertrauen konnte. Hanna war ehrlich, anders als Anna, die leider nicht so ehrlich war, viel log, für jede begangene und sogar für jede nicht oder noch nicht begangene Untat eine Ausrede bereit hatte, nur gedacht, nicht getan, nur im Geiste ertappt und schon eine Ausrede im Sinn. Wäre aber gerne so gut gewesen wie Hanna, hätte ihr lieber nicht so viel Kummer gemacht. Deine Mutter meint es doch gut mit dir. Anna wußte das und traute ihr über jeden Weg. Keinerlei Mißtrauen, niemals. Das Mißtrauen eher Hannas Sache. Fast immer merkte sie, wenn Anna log, und wenn sie es mal nicht zu merken schien, war Anna doch vorübergehend mißtrauisch, dachte, sie hätte es gemerkt und stellte sich nur so, als hätte sie nichts gemerkt, konnte dann einfach nicht glauben, daß Hanna ihr glaubte.
Das Treppchen hoch kam ein Neger, ein junger, schlaksiger, mit einem komischen Hütchen auf dem Kopf. Das Hütchen gefiel Anna nicht, aber sein Körper bewegte sich, als ob er Musik hörte, nicht die aus dem Lautsprecher, eine andere, ein Rhythmus aus sagenhaften, feuchtheißen Ländern. Annas und sein Blick trafen sich, kein Lächeln, nichts regte sich in seinem Gesicht, bloß die Augen, die schwarz waren wie Holunderbeeren im September, glänzten Anna schläfrig wartend entgegen. Und schon wollte Anna runter von der Mutterinsel, mit diesem Mann fortgehen, ihm folgen in seine Heimat. Und Hanna mußte mit. Natürlich würde sie Anna nicht verstoßen, war ja keine Spießerin. Kristins Eltern hätten ihre Tochter rausgeschmissen. Hanna nie. Ännchen, sagte Hanna. Ännchen, nimm es mir nicht übel, aber du mußt wirklich zum Frisör. Deine Haare sehen furchtbar aus.

Mit unsicheren kleinen Schritten war Hanna über den Eisensteg getapst. Schiersteiner Hafen. Fester Boden unter den Füßen, aber das Schwanken noch im Leib, und nichts mehr, was vorbeizog, alles unverrückbar an seinem Platz. Ich mache mir

Gedanken, sagte Hanna, plötzlich verzagt. Ich habe so ein komisches Gefühl. Und zerrte Anna mit zur Bushaltestelle. Erklärte unterwegs, warum sie sich Gedanken machte. Mariechen konnte vergessen haben, den Gashahn abzudrehen – das Gas unsichtbar aus dem Herd, aus der Küche, unaufhaltsam über den Flur, unter der Tür durch. Nicht auszudenken, wenn sie jetzt eine Zigarette anzünden würde. Hanna schloß die Augen vor dem blendenden Licht der Explosion. Entsetzlich, ganz entsetzlich. Mach dir keine Sorgen, sagte Anna. Aber Hanna war schon nicht mehr erreichbar, verschwunden in wuchernden Phantasien, die immer neue, immer giftigere Blüten trieben – was eben noch bloß möglich gewesen war, vielleicht hätte geschehen können, wurde wirklich, geschah in diesem Augenblick, wurde Vergangenheit, unveränderliche Tatsache. Wenn Mariechen und Ännchen nur nicht so leichtsinnig gewesen wären. Um sich selber brauchte Hanna nicht zu fürchten. Wußte, daß sie vernünftig war, vorsichtig, sogar ein bißchen ängstlich. Aber diese beiden waren ausgesprochen unvernünftig, nichts Schrecklicheres, als ohnmächtig zusehen zu müssen, wie geliebte Menschen sich sinnlos Gefahren aussetzen. Der Bus kam und kam nicht. Anna suchte Hanna abzulenken. Aber Hanna wollte nicht abgelenkt werden, hatte jetzt keinen Sinn für den Sonnenuntergang. Anna suchte Hanna zu beruhigen, aber je einfallsreicher und eifriger Anna bewies, daß es gar nicht sein konnte, desto einfallsreicher und eifriger bewies Hanna, daß es so sein mußte, versteifte sich darauf, daß etwas passiert war, du weißt eben nicht, was alles passiert, erst vor ein paar Tagen in der Zeitung, eine ganze Familie, vier kleine Kinder, sagte Hanna trostlos, gereizt und verärgert. Erst als der Bus endlich kam und Hanna ihr Portemonnaie suchte, hörten Mutter und Tochter auf zu zanken, ob Meisters nun da waren und das Gas riechen würden oder nicht. Stumm saßen sie nebeneinander auf dem letzten Bänkchen, dicht beieinander in dem überfüllten Bus, Hanna, die beim Streiten ihre Angst vergessen hatte, von neuem besessen, gebannt und wie gelähmt von dem, was über sie gekommen war, aus dem Nichts, von irgendwoher, aus irgendeinem Dunkel, ihr die Luft abdrücken wollte, keine Luft mehr, konnte nicht mehr atmen in dem stickigen

Bus, die vielen Menschen, und das Herz klopfte, das Herz hämmerte gegen die Brust, als ob es raus wollte, obwohl es doch an seinem Platz war und da, wo es hingehörte, raus, nicht auszuhalten in dieser Enge, und das Herz raste wie ein unschuldig Eingesperrter, der sich nicht in sein Schicksal fügen will, sich wie ein Irrsinniger tobend dagegen auflehnt, daß er für etwas büßen soll, was er nicht begangen hat. Und dann doch müde wird und schluchzend in sich zusammenfällt. Hanna schaute zum Fenster hinaus und sah nichts, nichts von der Allee, die sie hochfuhren, den alten Villen, halb versteckt hinter Bäumen, sah das alles, aber es drang nicht bis zu ihr durch, es ging sie nichts an, genauso wenig wie das, was sie um sich hörte, Gesprächsfetzen, der Schaffner, der die Haltestellen ausrief. Hanna dachte an die schwarze Bluse in ihrem Kleiderschrank. Und merkte nicht, hörte nicht, wie Anna verzweifelt an der verschlossenen Tür rüttelte, mach auf, mach doch auf, außer sich bei dem Gedanken, was da drinnen passiert sein könnte, hinter der Tür, in dem Zimmer, in dem es so still war, so totenstill. Hanna, auf ihrer Wanderung durch die unterirdischen Gänge ihrer Angst, hörte erst wieder etwas, als nichts mehr zu hören war, kein Rufen, kein Klopfen, nichts mehr. Hanna blieb stehen, und die Wände, die eben noch immer näher und näher gerückt waren, blieben ebenfalls stehen, es gab Luft, Hanna konnte wieder atmen. Die Wände wichen zurück. Ännchen, sagte Hanna leis. Aber Anna hatte sich schon eingeriegelt. Ließ sich eine Weile bitten. Konnte dann der Mutterstimme nicht widerstehen, schob den Riegel auf, schaute zur Tür hinaus, sagte etwas von übertriebener Angst, knallte die Tür wieder zu. Hoffte, Hanna würde einlenken, aber Hanna mußte widersprechen, durch die geschlossene Tür, nein, nicht übertrieben. Da riß Anna die Tür auf, um etwas hinauszubrüllen von der Angst vor dem eigenen Schatten. Was Hanna nicht auf sich sitzenlassen konnte. Angst, sagte sie, hat man oder hat man nicht. Du bist eben anders. Du verstehst das nicht. Sei froh.

Halb versöhnt gingen Mutter und Tochter die schon dunkel werdende Waldstraße hinauf. Schweigend schloß Hanna die Haustür auf, eilte die Treppe hoch und sofort in das Zimmer

ihrer Mutter, die ihr wie jemand, der nicht glauben kann, was er sieht, mit weit aufgerissenen Augen entgegenstarrte und sich ans Herz griff.
Gottseidank. Mariechen ließ sich erleichtert ins Kissen zurücksinken, Hanna nahm müde das Kopftuch ab, und Marie richtete sich wieder auf und maulte los. Soo spät. Hab mir soolche Sorgen gemacht. Und schaute aufgebracht von der Tochter zur Enkelin. Soo lange weg. Ich dachte, es wäre was passiert.

Mariechen machte das Licht aus. Gute Nacht, mein Puppchen. Es hatte sich alles wieder beruhigt. Beim Abendbrot hatte Marie sich erzählen lassen, wie das Essen gewesen war in der Pension – nicht zu schwer und nicht zu fett und auf dem Dampfer nicht zu windig? Mariechen versöhnt, Hanna beruhigt. Die Reise vorbei, morgen wieder Schule. Anna versteckte den Daumen in der Faust, um zu schlafen, konnte aber nicht, mußte an die Fliege denken, wie sie eben noch herumgeflogen war, auf und ab und hin und her in der Morgensonne, summend und brummend und plötzlich gefangen, eingewickelt, weggeschleppt. Vorbei. Die Reise vorbei und Anna allein in der Angst, die über sie gekommen war. Die Reise vorbei, und die Schule morgen auch bald vorbei, die Fliege bestimmt schon aufgefressen und in einem neuen Netz ein neues Opfer und andere Leute auf dem Dampfer und der Schlepper vielleicht schon angekommen, die Kohlen ausgeladen, und der Rhein, der Fluß, das Wasser, das unaufhörlich dem Meer zufloß, der See, der Nordsee, das Wasser, das nicht aufzuhalten war, und der bläulich schimmernde Placken auf dem unheimlich bleichen Schenkel von Großmutter Anna, die unbegreiflich reglos lag in der Guten Stube bei heruntergelassenen Rolläden, und Marie würde auch, und Hanna und – Anna machte die Augen auf und betastete ihre Hände, sah sie nicht, aber spürte sie, die Kratzer vom Brombeerpflücken, auch das vorbei – vor den Sträuchern stehen und die Arme ausstrecken, lang machen, zwischen den Dornen und den Wespen hindurchschlängeln, nach den Beeren greifen und mit den Augen die Zweige absuchen nach besonders schwarzen, vollen, reifen. Vorbei. Und nicht zu glauben und dennoch sicher, daß diese Hände eines Tages steif sein würden, nicht mehr greifen, nicht mehr warm, das Blut, das da innendrin stockte, nicht mehr strömte, die Poren, die nicht mehr atmen wollten, der ganze Körper leer und nichts mehr, was darin wohnte. Entsetzt lauschte Anna in ihren Leib hinein, ob der Tod sich schon eingenistet hatte. Wie bei der Buche in der Fasanerie. Von außen war nichts zu sehen gewesen. Erst als sie gefällt lag, der lange Leib umgestürzt auf der Erde, erst als sie herantraten, nachdem das Knacken und Krachen verklungen war, sich neben dem Stumpf bückten und hineinschauten in das Innere des Baumes, konnte sie sehen, daß er schon metertief ausgehöhlt war. Borkenkäfer, hatte der Förster gesagt.

Immer mehr Menschen waren aus Maries Leben verschwunden. Käthe Müffke, die kecke Freundin aus Kindertagen, mit ihrer Himmelfahrtsnase, den Sommersprossen und den blonden Zöpfen so ganz anders und doch eine treue Verbündete, wenn das Miriamle nach Berlin geschickt worden war, um die Mutter zu besuchen in ihrem Hutladen, Käthe war schon vor Jahren verhaftet worden. Wegen Rassenschande. War angezeigt worden und hatte nicht ablassen wollen von ihrem Salomon. Auch ihm eine treue Verbündete. In der ersten Zeit hatte es noch Briefe gegeben, krakelige auf liniertem Papier. Dann nichts mehr, und Marie hörte auf, von Käthe Müffke zu sprechen. Nur einmal, abends beim Puffspielen mit Jakob, sagte sie plötzlich: Man hört gar nichts mehr von Käthchen. Und schüttelte die Würfel länger als nötig. Was wohl aus ihr geworden ist? Fragte, aber erwartete keine Antwort und rechnete nicht damit, Käthe Müffke je wiederzusehen. Wollte auch nicht wirklich wissen, was aus Käthchen geworden war, jedenfalls nicht so genau. Hätte ihren Sohn Rüdiger fragen können, der nach Berlin gekommen und Polizist geworden war. Brauchte aber nicht zu fragen, wußte es ja, wollte nur nicht dran denken, es lebte sich leichter, wenn man nicht dran rührte. Und leben mußte man ja. Darüber reden änderte nichts, und gefährlich war es auch. Am besten so tun, als wäre nichts. Lächeln und sich nichts anmerken lassen, wenn die junge Frau Pachelke ihr, det is ja viel zu schwer für Ihnen,

Frau Feuerbach, das Einkaufsnetz abnahm und die Treppe hochtrug. Harmlos lächeln und sich bedanken. Der Mann war, das wußte man, Goebbels persönlich unterstellt. Ohne ein Wort darüber zu verlieren, gewöhnte sich Marie daran, daß die Bänke im Park jetzt *Nur für Arier* waren, hatte sowieso keine Zeit, sich hinzusetzen, wenn sie den Terrier Johnny ausführte, der alt und schwach geworden war und immer häufiger den Doktor Dambenspeck brauchte, mußte kochen, putzen, waschen, bügeln, Herzogs Hemden und die gestreiften Blusen ihrer Tochter. Mußte den Enkel hüten, wenn Rüdigers Frau zu den Eltern aufs Land gefahren war, um bei der Ernte zu helfen. Ging Bier holen für Jakob und Rüdiger, setzte ihnen Bratkartoffeln vor und dachte sich ihren Teil, wenn sie breitbeinig dahockten und politisierten, sagte aber nichts, es sei denn, sie wurden zu laut. Pscht, Schröder kann euch hören. Ringsum war die Begeisterung groß, und die Vaterlandsliebe wurde mehr und immer noch mehr, aber Mariechen sagte nur: Das kann ja heiter werden. Österreich. Tschechoslowakei. Polen. Johnny starb, und Marie nahm Erna Pachelkes Trostworte in königlicher Haltung auf dem Treppenabsatz entgegen. Son anhängliches Viech. Ick sage immer: Seit ick die Menschen kenne, liebe ick die Tiere. Dänemark. Norwegen. Holland, Belgien, Luxemburg. Das kann ja heiter werden, war alles, was Marie dazu sagte. Frankreich. Jugoslawien. Griechenland. Endlich hatte Erna Pachelke es als ihre Pflicht betrachtet, beim Herrn Propagandaminister anzufragen, ob das denn rechtens sei – eine Jüdin im Haus. Natürlich war es nicht rechtens. Behalte mir weitere Schritte vor, falls Sie das Wohnverhältnis mit Ihrer jüdischen Schwiegermutter nicht unverzüglich auflösen. Hanna und Jakob verbrachten eine schlaflose Nacht. Jakob hin und her gerissen, ratlos in seiner Ohnmacht. Hanna erstarrt. Behalte mir weitere Schritte vor. Mußte man ernst nehmen. Weitere Schritte vor. Mußte was geschehen. Sonst alle dran.

Hanna suchte ein Zimmer für Marie. Ausziehen mußte Mariechen aus der Helmstedter Straße. Tat es klaglos. Nahm nur das Nötigste mit, Pauls Briefe, die silberne Haarbürste, mit der er sie in Marseille überrascht hatte – lang war das her,

gefällt sie dir, mein Puppchen? die Wärmflasche, die Spielkarten, den Kulturbeutel, ein paar Kleider. Die Hausschuhe. Den Morgenrock. Hanna und Jakob brachten sie hin.
Das erste Zimmer in der Knesebeckstraße. Jakob stellte den Koffer ab, nahm die Baskenmütze vom Kopf und stand herum. Hanna half beim Auspacken. Die Kohns. Hatten ein Herrenbekleidungsgeschäft gehabt. Frau Kohn sprach von Kammgarn, Schurwolle und Seidenkrawatten, von den guten Kunden, die nicht nach dem Preis fragen, und davon, woran man einen Dschentelmän erkennt. Herr Kohn ein Einsilbiger. Die Großmutter von morgens bis abends auf den Beinen und nie die Hände im Schoß, nähte Kleider für die Enkel, riffelte Pullover auf und strickte neue. Marie fühlte sich überflüssig in dem Zimmer, das auf den Hof hinausging und eng und dunkel war. Die Küche nicht mehr ihre Küche. Kein Puffspiel mehr, statt dessen Patiencen im Bett. Wollte nicht zu oft in der Helmstedter Straße auftauchen. Hatte jetzt Zeit, spazierenzugehen. Nach ein paar Wochen mitten in der Nacht SS in der Wohnung. Anziehen. Mitkommen. Auf dem Flur stand schweigend die Hauswartsfrau, die gemütliche Dicke, stand und schaute von einem zum andern. Geld, Schmuck, Gold- und Silbersachen sind abzuliefern. Auch goldene Uhren. Die Männer trampelten über die Teppiche. Alle echt, hatte Frau Kohn stolz erklärt. Die Männer rissen Schubladen auf. Die Großmutter knöpfte den Kindern die Mäntel zu. Die Kinder sahen die Männer nicht an. Herr Kohn fuhr sich mit den Fingern durchs Haar. Der Inhalt der Schränke auf dem Boden. Marie zog sich auch an. Herr Kohn legte seinem Sohn die Hand auf den Kopf. Gläser zerschellten. Frau Kohn zuckte zusammen und sah zu ihrem Mann hin, der, noch immer die Hand auf dem Kopf seines Sohnes, abwesend zum Fenster hinausblickte, als ginge ihn das alles nichts an. Gleichgültig die Quittung unterschrieb für Geld und Wertsachen, alles einzeln aufgeführt. Dann die Wohnungsschlüssel aushändigte. Los, ab. Einer der Männer wedelte mit der Pistole. Ein anderer ging von Zimmer zu Zimmer und machte das Licht aus, sah in der Küche nach, ob der Gashahn abgestellt war. Wandte sich an die Hauswartsfrau, deutete auf Marie. Was ist mit der? Frau Räthke räusperte

sich. Die ist in Ordnung. Wohnt bloß hier. Marie war nicht einmal erleichtert. Mit ihrem Koffer runter zu Frau Räthke. Die Wohnung versiegelt.
Das zweite Zimmer in der Ebersstraße. Die Löws. Hatten ein Café gehabt. *Stadt Wien.* Arbeiteten jetzt in einer Munitionsfabrik. Edith Löw, lebhaft und mit rauchiger Stimme, verblühte Blondine, faßte Marie vertraulich beim Arm und führte sie durch die Wohnung. Diesmal bekam sie ein schönes Zimmer. Spielte abends Karten mit den Löws. Erzählte, daß sie auch in Wien gewohnt hatte. Als blutjunges Ding. Fühlte sich fast wie zu Hause bei den Löws. Diesmal gab es vorher eine Benachrichtigung. Marie rief Hanna an. Hanna war beim Kochen gewesen, hatte Mariechens Schürze umgebunden, mit klebrigen Fingern am Telefon in Mariechens Zimmer. Komm her, sagte sie. Aber Marie wollte dableiben, mit Löws warten. Ob sie kommen solle, fragte Hanna. Lieber nicht, sagte Marie. Hanna wollte etwas tun, der Mutter beistehen, sie nicht alleine lassen. Gab sich einen Ruck. Wenn du abgeholt wirst, gehe ich mit. Mariechen gerührt. Aber mein Puppchen. Du hast doch noch Herzog. Hanna schwieg, hatte nicht mehr viel von Herzog. Also dann, sagte Marie bei Löws im Berliner Zimmer, wo das Telefon stand. Keine Magenschmerzen, kein Rückenweh. Ganz ruhig.
In der Helmstedter Straße saß Hanna noch lange, nachdem sie den Hörer aufgelegt hatte, in Mariechens ehemaligem Zimmer. Zwei Finger auf der Nasenwurzel, versuchte zu denken. Stand endlich auf, band die Schürze ab. Ging in die Küche, wusch sich die Hände, stellte das Gas ab. Setzte sich wieder hin, wartete auf Jakob. In der Ebersstraße packte Marie ihre Sachen, Pauls Briefe, die silberne Haarbürste, die Karten, die Wärmflasche. *Das Schicksal der Juden vollzieht sich nunmehr nach den Gesetzen einer Gerechtigkeit, die nach kleinlichen Empfindungen nicht fragt und dem Wohl der Menschheit unbestechlich dient. Über die Juden in Europa ist das Urteil gesprochen!* Marie blieb und wartete mit den Löws. Die Wohnung aufgeräumt. Das Gepäck gewogen. Fünfundzwanzig Kilo für jeden. Die Koffer, die Decken, die Handtasche, alles griffbereit. Schon in Hut und Mantel, warteten sie zur bestimmten Stunde, sprachen von Wien und dem Prater

und Mariechens Angst vor dem Karussellfahren. Niemand kam. Nichts geschah. Warteten Stunde um Stunde. Am Ende wußten sie nicht mehr, was sie reden sollten. Leonhard Löw nahm den Hut ab und drehte ihn in der Hand. Die Kinder jammerten nicht mehr, daß ihnen heiß war im Mantel. Warteten den ganzen Tag bis zum Abend in der Wohnung, die ihnen schon fremd geworden war. Marie und Edith Löw rauchten eine Zigarette nach der anderen. Als sie endlich kamen, war es wie eine Erlösung und der Abschied kurz und eilig. Die Wohnung versiegelt. Diesmal kein Käffchen bei einer mütterlichen Frau Räthke.
Das dritte Zimmer in der Wexstraße. Die Meyers nahmen Tabletten, bevor sie geholt wurden. Da hatte Marie schon nichts mehr zu befürchten. Keine Sara mehr. Da war zum Schlupfloch geworden, was einst die große Schande gewesen. Hanna hatte die Brille abgenommen und einen arischen Großvater behauptet.
Der Bescheid war an einem klaren, kalten Februartag gekommen. Hanna hatte die Balkontür geöffnet und Luft geholt, tief Luft, als wäre es der erste Atemzug seit Jahren. Verkrustete Schneereste auf der Brüstung, der Himmel hoch und ungerührt blau, zwei breite Rinnen durch den schmuddeligen Matsch auf der Straße.

VIII
– zur Heimat hin

Hanna konnte wieder atmen, mit aller gebotenen Vorsicht zwar, atmen und lachen, verhalten nach ihrer Weise, doch selbstvergessen, ohne Hand vor dem Mund, der Kopf nicht mehr gesenkt beim Gehen, nicht mehr müd und matt und abgespannt, und nichts mehr von hättest du, wärest du, siehst du das nicht ein, das mußt du doch einsehen, so daß auch Jakob aufatmen konnte, seufzend seinen Kopf in ihren Schoß legen, ausruhen, vergessen, was gewesen und was nicht gewesen, seine Oase in der wüsten Welt. Jakob und Jakoba. Wieder einig. Endlich. Wollten ein Kind haben, jetzt oder nie. Den Bund besiegeln wollte er, Frucht tragen sie, schon über dreißig, jetzt oder nie, und es sollte ein Mädchen werden, nein, kein Junge, hoffentlich ein Mädchen, sehnlich wünschte Hanna sich ein Mädchen, das jedoch Jakob ähnlich sein sollte, und seine Nase sollte es bekommen, bloß nicht ihre. Würde es aber auch lieben, wenn es häßlich wäre, liebte es schon, noch bevor die Tore der Festung sich geöffnet hatten, die Brücke heruntergelassen und Jakob hinübergegangen, auf daß eins würde aus zweien, in jenem Vorfrühling, in dem der Krieg noch nicht körperlich geworden war, die Flugzeuge der Befreier überflogen die Stadt nur und sonst nichts, und Jakob der Wehrunwürdige, da Versippte, zog mit einer Leica und einer Kodak und einer Tasche voller Objektive durch die Bretagne und fotografierte Kirchen.
In den Vorgärten blühten die ersten Krokusse, und Hanna ging umher und lauschte in ihren Körper hinein, ob da drinnen etwas wuchs, morgens in der U-Bahn, unterwegs zu Frau Elise Bauer GmbH, Augenfeuer, Goldliesel und Loreley, nur Hanna und der Packer übrig, die Chefin längst zur Hintertür raus, als vorne SS reinkam – es war Elise in Wahrheit eine Sara gewesen. Die Mädchen zum Arbeitsdienst, die Männer eingezogen, auch Zahnow, Erich Zahnow, mit dem mal was gewesen war, noch gar nicht so lange her und doch wie nie gewesen – so etwas wie Vergangenheit gab es nicht in diesem Frühling, in dem Hanna bald sicher sein konnte, daß sie nicht leer geblieben war, gefüllt in aller Stille, niemand wußte, nur Jakob, sonst niemand. Hannas Geheimnis, wollte es für sich behalten, so lange wie möglich, nicht einmal ihre Mutter sollte davon wissen, ihr gehörte es, ihr allein. Jakob hatte wie-

der fahren müssen, aber Hanna war nicht traurig darüber, war ja nicht allein, hatte ja etwas, das sie mit sich herumtrug, durch den Frühling in den Sommer hinein, eine Anwesenheit in ihrem Leib, ein zweites schlagendes Herz und hoffentlich ein Mädchen. In Wien wurde Maries Tante Dorle abgeholt, händeringend hatte sie auf der Ladefläche eines Lastwagens gestanden, im Nachthemd, ungekämmt das weiße Haar, ab nach Theresienstadt. Hanna hörte sich das alles an und legte die Hand auf ihren Bauch – nichts sollte das da drinnen wissen von dem, was draußen vor sich ging. Drinnen, im gleichmäßigen Dunkel, im warmen Wasser der Grotte, schlief es und wachte, schlief und erwachte und öffnete die Augen in milchige Nacht, regte sich, schwerelos, streckte die Glieder in der noch geräumigen Höhle, schlief und wachte und wußte nichts vom Morgen, der verstrich und Abend wurde und ein vergangener Tag und vergangene Tage, nicht von den Zimmern, Küchen, Fluren, Toreinfahrten, Straßen, Treppenaufgängen, die es hinauf, hinunter, hinein, hinaus getragen wurde, nichts von Hanna und Jakob, die Namen bedachten, ein jeder für sich, er, der seine Mutter, sie, die ihren Vater fortleben lassen wollte. Es schlief und träumte Träume wie treibende Wolken, und immer war das Pochen da, das stetige Pochen, immer da, wenn es einschlief und wenn es aufwachte, immer da in der dämmrigen Höhle, die so sanft schaukeln konnte, hin und her, hin und her, schaukeln und wiegen, hin und her.
Allein im Grunewald machte Hanna lange Spaziergänge und fürchtete sich nicht, war ja nicht allein, wollte aber auch nicht leichtsinnig sein, das Schicksal nicht herausfordern, mied einsame Wege und kehrte lieber um, wenn es zu still wurde im hochsommerlich summenden Wald, und immer noch sah man nichts, hatte keiner was gemerkt. Obwohl es sich nun schon kräftig rührte und Hanna unruhig wurde, wenn sich eine Weile nichts gerührt hatte, lauschen mußte, angestrengt horchen, ob es auch nicht tot war. Nervös wurde – aufspringen mußte Hanna, hin und her eilen, sich wieder setzen, aufspringen, und die Grotte erbebte von harten Stößen. Drinnen schrie es, aufgeschreckt aus seiner Ruhe. Es schrie, aber es kam kein Ton heraus, und das Rütteln und Schütteln hörte

nicht auf. Drinnen bäumte es sich und mußte doch geschehen lassen, über sich ergehen lassen, mit gerunzelter Stirn, geballter Faust. Marie riß die Augen auf, nicht möglich, aber mein Puppchen, und schaute auf Hannas Bauch und wollte es nicht glauben und glaubte es am Ende doch – hast du dir das auch gut überlegt? Betrachtete ihre Tochter wie eine interessante und irgendwie bemitleidenswerte Fremde, die man irgendwoher zu kennen glaubt. Mein Puppchen, mein Puppchen.
Da wurden die Tage schon kürzer, und in der Luft lag etwas von herbstlicher Milde und Trauer. Gedämpft durch die lebenden Wände der Grotte drangen Töne, ein sanftes Schwingen, das anstieg und abfiel, abbrach und wieder einsetzte, ein angenehmes Rauschen. Es hörte nicht hin und hörte nicht weg, schlief ein bei dem Rauschen, wachte auf, wenn es schrill wurde, und wußte nichts davon, daß das alles einmal Sprache werden sollte, in den Tiefen des Waldes ums Feuer tanzende Muttersprache – ach wie gut, daß niemand weiß, daß ich Rumpelstilzchen heiß.
Die Tage waren kurz und kalt geworden, es flogen nun die Flugzeuge nicht mehr bloß über die Stadt hinweg. Hanna hörte auf zu arbeiten. In die Höhle drangen andere Töne, langgezogene, gellende, es bebte die Erde, wo gestern ein Haus gestanden hatte, waren heute Menschen begraben unter Schutt und Asche. Die Stunden im Luftschutzkeller – Hanna, den Kopf eingezogen, die Hand auf dem Bauch, nicht auf dieses Haus, auf ein anderes. Bis in den Schoß hinein das Dröhnen der Flugzeuge, und drinnen das tonlose Schreien, und die Hände, die noch nicht wußten, daß sie die Ohren abschirmen können, und Hanna, die es strampeln fühlte und ruhig wurde, plötzlich ganz sicher, daß nichts geschehen konnte, das Kind in ihrem Leib schützte sie alle. Ein andermal starr und steif und die Einschläge nicht mehr irgendwo draußen, weiter weg oder in der Nähe, drinnen in Hannas Kopf, und die Wellen setzten sich fort bis in die Grotte hinein, wo es sich krümmte und zusammenzog und sofort alles vergessen hatte, wenn es vorbei war, wohlig im warmen Wasser döste, nur das stetige Pochen und ein leises Heben und Senken, Heben und Senken, während die pulsierenden Wände der Grotte immer näher rückten, der Raum immer

enger wurde und Raumnot herrschte, zuletzt, als das Köfferchen für die Klinik bereitstand, das Zimmer schon lange eingerichtet, Maries früheres Zimmer. Und wenn es erst mal da ist, sagte Jakob strenge zu Mariechen, dann wird hier nicht mehr geraucht. Es trug Hanna jetzt schwer an der reifen Frucht, eine Last war der Leib geworden, beschwerlich das Gehen Sitzen Stehen Liegen, tief hing der Himmel über Berlin, kalt waren die Nächte im Luftschutzkeller, und was, wenn sie die Geburt nicht überstehen würde? So spät das erste Kind und nie besonders kräftig gewesen, und was dann mit dem Kind? Waisenhaus, womöglich Nonnen, gebenedeit unter den Weibern, und gebenedeit ist die Frucht deines Leibes, und Jakob hielt das Ohr an ihren Bauch und horchte mit geschlossenen Augen, Fleisch von seinem Fleisch und Bein von seinem Bein und mußte katholisch getauft werden, um seiner Seligkeit willen, und Hanna, zu schwerfällig, um den Degen zu ziehen, willigte ein, kampflos, alles egal, bloß den Mantel wieder zuknöpfen können und das Kind gesund und hoffentlich ein Mädchen.
Drinnen konnte es sich nicht mehr rühren, und draußen schneite es, die ganze Nacht, bis in den frühen Morgen hinein, als Hanna aufwachte und dicke Flocken am Fenster vorbeitreiben sah und Jakob wecken mußte. In ihrem Schoß wußte es nicht, wie ihm geschah, und nicht, daß die Stunde der Austreibung gekommen war, spürte nur, wie die Höhlenwände es plötzlich umklammerten, einschnürten, dann ebenso plötzlich losließen, sich zurückzogen. Jakob brachte Hanna in die Klinik, nach Tempelhof durch die verschneite Stadt, verschneit die noch menschenleeren Straßen, die verschonten Häuser und die Ruinen, die Trümmer unter einer welligen weißen Decke verschwunden. Die Hebamme machte sich einen Kaffee, echten Bohnenkaffee, fragte Hanna, ob sie auch einen wolle. Was Hanna entrüstet ablehnte. Wollte jetzt gar nichts. Hatte was anderes zu tun als Kaffee trinken. Wollte endlich das Kind kriegen und sonst nichts. Die Zeit dehnte sich, die Zeit zog sich zusammen, und Hanna allein mit der ruppigen Frau, die kam und ging, nachschaute, wie weit es war, nichts antwortete auf Hannas schüchterne Fragen und nur is jut sagte, wenn sie stöhnte. So

daß sie die Lippen zusammenpreßte und keinen Laut mehr von sich gab, eine Zeitlang. Und den Rücken der Frau betrachtete mit bockigem Blick, bis eine große Wehe allen Trotz mit sich nahm, bloß noch gepeinigter Leib, verkrümmt. Nu is aber jenuch. Und Hanna mußte es sich gefallen lassen, so wie das da drinnen es sich gefallen lassen mußte, wieder und wieder von den Höhlenwänden gepackt, zusammengepreßt, freigegeben. Noch immer schwerelos. Die Fäuste geballt, Daumen in der Hand versteckt. Zornig die Stirn gerunzelt. Keine Einsicht darin, daß ihm nur zu seinem Besten Gewalt angetan wurde. Keine Fähigkeit zur Einsicht, statt dessen lautloser, aber heftiger Protest gegen die Ruhestörung. Half nichts. Mußte doch mit sich geschehen lassen und vergaß wieder, sobald es vorbei war, so wie Hanna vergaß, sobald der Schmerz vorbei war, aber wußte, daß ein neuer kommen würde, und ihn vorwegnahm in der Vorstellung und sich entsetzlich fürchtete. Ergriffen, umschlungen, gegen die Wand gepreßt und losgelassen. Und wieder und wieder. Mit einemmal auch keine warme Wasserhülle mehr, wehrlos umgeben von zuckendem, pochendem Fleisch, umfaßt, vorwärtsgestoßen und freigelassen und dann der Kopf in den Tunnel gezwängt, eingeklemmt in dem engen Tunnel. Und Hanna schrie, wilder noch als in jener Nacht, da Paul und Marie sie aus ihrem Garten gerissen hatten, und Marie hatte das Fenster geschlossen, was sollen denn die Leute denken? Mehr noch als damals verraten und verkauft, is ja jut, is ja jut. Ringsum eingequetscht, wurde es doch weitergetrieben durch den Tunnel und wußte nichts davon, daß der Körper, der es so unbarmherzig vorwärtsstieß, vorzeiten ebenfalls so vorwärtsgestoßen worden war und es selber inzeiten ebenfalls einen Körper so vorwärtsstoßen würde, hörte auch nichts von den Schreien der Mutter, die Ohren gnädig verstopft von Schleim. Und am Ende der Höllensturz in das grelle Licht, ausgetrieben aus der Grotte in die Kälte, nicht mehr und nie mehr von Fleisch umschlungen, und Hanna zu erschöpft, um sich zu freuen, daß es ein Mädchen war.

Ein Mädchen. Die Schwester drückte es ihm in den Arm. Fleisch von seinem Fleisch, und das brüllte aus Leibeskräften mit zahnlosem Mund. Jakob gab es zurück – doch mehr Sache der Frauen, die wußten, wie man so was hält. Schaute noch eine Weile verwundert in das leidverzerrte kleine Greisengesicht, setzte sich dann wieder zu Hanna ans Bett. Ungeduldig, Frau und Kind zu Hause zu haben, die Wohnung so still und leer und plötzlich keine frischen Hemden mehr, eingeweicht und waren am nächsten Morgen immer noch da und störten beim Zähneputzen und wollten und wollten nicht aus dem Waschbecken verschwinden. Wären gewiß drin verfault und langsam zerfallen, wenn Marie sich ihrer nicht angenommen hätte, murrend zwar, doch auch froh, wieder gebraucht zu werden.

Es hatte sich so manches geändert zwischen Hanna und Marie, alte Bande gerissen, neue geknüpft, das ganze Netz durcheinander. Hanna als Mutter in neuen Würden. Es war ihr nicht mehr so leicht beizukommen mit wohlmeinenden Ratschlägen, das kannst du dir jetzt nicht mehr leisten, mein Puppchen, wußte selber, was sie zu tun hatte, war aber doch froh, die Mutter im Hintergrund zu haben in jenen langen Wochen im Krankenhaus, die Anna auf dem Gewissen hatte, das kleine Untier. Mit einem wilden Schrei, so sollte Hanna ihrer Tochter später erzählen, nachdem Geburtstag um Geburtstag gekommen und gegangen war, die Zeit des Topfschlagens lange vorbei und die Geschenke nicht mehr im Kleiderschrank versteckt, mit einem Schrei hast du dich auf meine Brust gestürzt und wild hineingebissen. Und Anna glaubte an diese mit leiser Stimme und nicht einmal vorwurfsvoll vorgetragene erste Sünde, wie sie an alle weiteren glaubte, einen Augenblick aufsässig, im nächsten tief zerknirscht, also schon damals hemmungslos gierig, wollte sich bessern und setzte sich doch über alle guten Vorsätze hinweg, fühlte sich durchaus nicht immer schuldig, bekam aber beim Anblick eines Einbeinigen auf der Straße regelmäßig ein schlechtes Gewissen, weil sie nicht auch bloß ein Bein hatte. Obwohl Hanna bei der an späten Geburtstagen erzählten Krankenhausgeschichte am Ende jedesmal versöhnlich hinzufügte, daß sie gar nicht so ungern da gewesen war.

Während Hanna nichtsahnend die Ruhe, die Pflege und das regelmäßige Essen genoß, stand die Sache mit Zahnow, die doch längst abgetan, aus und vorbei war, wider sie und ihr Kind auf, nachdem Marie, natürlich ohne sich etwas dabei zu denken, eine Bemerkung hatte fallenlassen, die ein ehrlicher Finder aufgehoben, mitgenommen und zu Jakob getragen hatte, der erst nicht glauben wollte, daß das etwas mit ihm zu tun haben sollte, und dem Finder, der es nur gut gemeint hatte, keinen Dank wußte. Allein gelassen, sich wie vor den Kopf geschlagen fühlte, benommen und unfähig zu denken und dann einen Sturz tat, wie er noch keinen getan hatte. Zerschmettert der Vaterstolz. Nicht der erste Mann, der hintergangen worden war von einem Weib. War also gar nicht seine Jakoba gewesen. Hatte ihm nur etwas vorgemacht. Und Jakob konnte nicht mehr glauben, daß das Fleisch von seinem Fleisch war, mußte annehmen, daß sie die Brücke nur zum Schein heruntergelassen hatte, ihn zu täuschen, den Ehebruch zu vertuschen, nicht die erste, uralte Weiberlist das Fallenstellen, Frucht tragen nach all den Jahren der Dürre, jetzt oder nie, und das mitten im Krieg, nichts als Lug und Trug, ihm unterzuschieben den Samen eines andern. Verraten und verkauft, eilte Jakob ins Krankenhaus. Schwören sollte Hanna, beim Leben des Kindes, das den Namen seiner Mutter trug. Und Hanna begriff gar nicht, warum er sich so aufregte, konnte das nicht ernst nehmen, es gab doch keine Vergangenheit mehr, nur noch die Zukunft mit dem Kind, das Jakob nicht ansehen konnte, als es gebracht wurde. Wegsehen mußte er und konnte Hannas Beteuerungen nicht glauben, bedachte, daß sie selber vielleicht nicht wußte, wer der Vater war, sollte ihr nie was bedeutet haben, der andere, und schon lange aus und vorbei. Dann schwöre. Und Hanna schwor, aber nur bei ihrem eigenen Leben, und Jakob sah das Kind an, besänftigt, aber es blieb eine Bitternis.

IX
Der Urkrieg

Vorwarnung. Warnung. In den Keller runter. Entwarnung. Rauf. Vorwarnung Warnung Entwarnung. In den Keller runter rauf runter. Nachts, mit dem Kinderwagen. Tags, mit dem Kinderwagen. Zu Hause. Unterwegs. Hanna angewurzelt in der Toreinfahrt. Wollte nicht über die Straße. Nicht mit dem Kinderwagen. Nicht über die brennende Straße. Können hier nicht bleiben. Aber Hanna hielt fest, fest umklammert ihre Seite der Kinderwagenstange. Der Rauch, der Brandgeruch, der schreiende Säugling. Auch Jakob hielt fest, fest umklammert seine Seite der Kinderwagenstange. Müssen hier weg. Das Dröhnen der Bombergeschwader, der schreiende Säugling. Und Jakob schob, schob los mit dem Kinderwagen, rannte über die Straße. Und Hanna hielt fest, weiter fest, rannte mit, den Kopf eingezogen, über die Straße in den Bunker.
Mußten raus aus Berlin. Weg, aufs Land. Es gab da einen Pfarrer in einem österreichischen Dörfchen. Dem schrieb Jakob einen Brief. Suche ein christliches Heim für meine Familie. Maries Nasentum mußte natürlich verschwiegen werden, in jenem ersten Brief genauso wie später im Pfarrhaus, wo Marie, Hanna und Anna ein Kämmerchen bewohnten, zwei Jahre lang Tag für Tag verschwiegen. Und kam erst raus, als alles vorbei war. Marie, Hanna und Anna schon längst wieder fort, angekommen in der Waldstraße. Aber selbst da noch war sie entrüstet, die rauhe, aber herzliche Vroni, daß man den Herrn Pfarrer, ihren jüngst heimgegangenen Bruder, in Gefahr gebracht hatte.

Hanna wußte wohl, daß sich ihr Tor zur Welt langsam schloß, ohne Knall zwar, doch hörbar in den Angeln quietschend, leise knarrend, und Hanna schon draußen, schon ausgesperrt, wollte es nur noch nicht glauben, dachte, es würde sich wieder auftun, und richtete sich derweil anderweitig ein, fern der Städte in den Bregenzer Bergen, setzte in winterlicher Waldesstille auf ihrem Weg von hier nach da einen Fuß vor den anderen. Einer hinter dem anderen ihre Stapfen in dem unter der Morgensonne gleißenden Schnee, die Stiefelspitzen leicht auswärts gedreht, die Riffeln der Sohlen deutlich abgezeichnet. Es war die erste Spur des beginnenden Tages, einsam von hier nach da, ringsum das weiße Schweigen, wie von weit her das Krähen der Hähne aus dem nahen Dorf, und hin und wieder das leise Rieseln, wenn Schnee fiel von den tief gebogenen Zweigen der Tannen. Der Schnee taute, nur noch schmuddelige kleine Lachen, es kam der Frühling. Hanna säte dies und pflanzte das, es war das erste Mal, daß sie Boden für sich hatte, und Hanna hegte und pflegte, liebevoll und ungeschickt, düngte und wässerte, so daß aus der Erde herauswuchs, was sie hineingetan hatte, aber nicht nur das – mehr noch wuchs das, was sie nicht hineingetan hatte und was ausgerissen werden mußte, Tag für Tag von neuem. Immer war es über Nacht wieder da und hatte Wurzeln, die tief in die Erde reichten, tiefer, als Hannas Finger greifen konnten. Im Hintergrund Marie, groß, hager und mit einer leichten Krümmung des Rückens, gab wohlmeinende Ratschläge oder sang der Kleinen das Lied von Mariechen – was schläfst du so süß und so träumend, du armes Kindelein, dein Vater hat uns verlassen, dich und die Mutter dein. Traurige Lieder sang Mariechen, und doch war sie es, die lachte, und Hanna, die auf dem schwarzen Thron saß. Ich bin ein armes Schwein, sagte Hanna und hatte es wirklich nicht leicht mit der Bestellung ihres Bodens und dem Bau ihrer Behausung, die nie so recht wohnlich werden wollte, obwohl Hanna rastlos bemüht war, alles bequem einzurichten. Vergeblich. Wenn sie am Abend einen Stuhl ans Fenster gerückt hatte, so stand er des Morgens vor der Tür und wollte raus. Jakob, an seinem Schreibtisch im fernen Berlin, beschäftigt mit der Herausgabe einer Sammlung deutscher Gedichte, in die er auch ein eigenes hineinschmuggelte, bekam so manche Klage zu lesen. Ihr scheint ja manchmal ein recht lustiges Verhältnis zueinander zu haben, Du und Deinmeine Tochter. Macht Dir selbst in ihr der Dickob noch zu schaffen? Findest Du in ihr nicht auch Dich wieder?

Es hatte aber leider das Kind so gar nichts von Hanna, machte der Mutter viel Kummer, so daß sie oft tief betrübt war und auf dem schwarzen Thron sitzen und Vorwürfe machen mußte von dem Thron herunter, der so hoch war, daß das Kind den Kopf in den Nacken legen mußte, um die Königin zu schauen, die schöne, sanfte, die mit sanfter Stimme bekümmert Vorwürfe machte und dann verstummte, in sich gekehrt hinwegschaute über die Prinzessin in ferne Fernen, unnahbar in ihrer Trauer, die liebliche, die entrückte Königin, unbeweglich in ihrem Kummer, unerreichbar, von der Prinzessin gegangen, fortgegangen, hatte nur ihren Leib dagelassen. Da verwandelte sich die Prinzessin in den Schloßhund und heulte, und als das nichts half, kam aus dem Schloßhund ein junger Wolf heraus, ein ungezähmtes, nicht zu bändigendes Tier, und das heulte durchdringend in die Welt hinaus, gräßlich anzuhören, und wollte gar nicht mehr aufhören, so daß der Königin nichts anderes übrigblieb, als in ihren Körper zurückzukehren und sich ungehalten von dem schwarzen Thron zu erheben – man konnte ja das Kind nicht so schreien lassen, ein Stockwerk tiefer arbeitete der Herr Pfarrer an seiner Predigt. Ein Klaps, und das Untier geriet gänzlich außer Rand und Band und verwandelte sich in einen tobenden Teufel, der mit hochroter Fratze Zeter und Mordio schrie, daß die Fensterscheiben klirrten und der geschlagenen Mutter nichts übrigblieb, als schleunigst das Haus zu verlassen, mit dem Teufel unterm Arm, vorbei an der Küche, in der die Vroni stand und böse schaute. Schäm dich. Und Anna schämte sich. Und vor dem Gartentor stellte die Mutter ein verschüchtertes Lämmchen auf die Beine, ein armes, verweintes kleines Tierchen, das sich brav die Nase putzen ließ und schniefte und schnaufte, wackelig die ersten Schritte tat, hatte gerade erst laufen gelernt. Sah etwas, sah jemanden, einen Buben mit einem Schal um den Hals, ließ die Hand der Mutter los, strebte weg auf schwankenden Beinen, dem Buben mit dem langen, lustig bunten Schal hinterher, und Hanna schaute ihrer torkelnden Tochter nach, jeden Augenblick bereit hinzustürzen, sie aufzuheben, zu trösten und den Dreck abzuklopfen.

Ziellos, auf noch immer nicht ganz sicheren Beinen, strebte Anna bald nicht nur von Hannas Hand weg, auch aus dem Haus, alleine, entwischte in einem unbeobachteten Augenblick, wackelte glücklich an dem hohen Lattenzaun entlang, am Friedhof vorbei, die Dorfstraße hoch. Ohne einen Gedanken an Hannas Sorge, die Angst, die Hanna auszustehen hatte, das Haus blieb zurück und wartete, wartete mit Hanna drin, mit Marie und Vroni und dem Herrn Pfarrer, der ein großer Zauberer war und alle mögliche Gestalt annehmen konnte – Baum, Fluß, Wolke, Berg. Fernes Gebirg in der Küche auf der Eckbank neben dem Ofen, und Anna nicht zu halten, nicht abzuhalten von ihrem Liebesdienst, mußte ihm die Schuhe aufschnüren, die Pantoffeln bringen, und dann zauberte er, Hokus pokus fidibus, und der verschwundene Schlüssel war wieder da.

Unbefangen und ganz ohne Scham rannte Anna jeder Hose hinterher. Schamlos, sagte Mariechen, deine Tochter, und wollte in den Boden versinken, als das kleine Tier den Rock hob vor dem Herrn Pfarrer, neue Hosi an. Der Pfarrer tat, als hätte er nichts gesehen, die Mutter nahm das Tierchen bei der Hand, das sich, kaum auf der Dorfstraße, losriß und jauchzend jubelnd einem Knaben nachlief.

Je sicherer die Beine, desto weiter die Ausflüge, immer weiter weg vom Haus, unbekümmert um den Rückweg, einem Bauern hinterher, der Stiefel trug über den Hosenbeinen, herrliche Stiefel, die hell und weich und schmierig waren und einen schweren Gang machten. Anna fröhlich plappernd nebenher, wollte nicht zurückgeholt werden, heulte, wenn sie abgeführt werden sollte, taub für Hannas Zureden, sträubte sich, strebte weg, streckte laut jammernd die freie Hand aus nach dem Bauern mit den Stiefeln über den Hosen. Als der Krieg zu Ende ging, kam Annas große Zeit. Das Dorf voller Männer, Soldaten, Marokkaner, denen schreckliche Gerüchte vorangeeilt waren, so daß die Frauen sich als häßliche Hexen verkleideten mit zotteligen Haaren und Lumpen um den Kopf und Ruß im Gesicht. Anna hatte anderes zu tun. Stahl sich aus dem Haus mit einem silbernen Löffel, den sie Maries geheiligtem, mit blauer Seide ausgeschlagenem Schächtelchen entnommen hatte, und ward nicht mehr gesehn. Hanna, in Sorge, suchte überall, in wachsender Sorge, das Kind in den Teich gefallen, ertrunken, in heller Aufregung, das Kind einen Berg runtergefallen, zu Tode gestürzt. Außer sich irrte Hanna durchs Dorf, schaute in die Höfe, die Ställe, fragte, suchte, fragte – es hatte niemand das Kind gesehen. Kopfschütteln überall. Jeder teilnehmend und froh, daß es nicht sein Kind war.

Im letzten Hof saß ein Marokkaner, fremdländisch in der guten Stube, und hatte ein Kind auf dem Schoß. Das tatschte in seinem Gesicht herum, nicht besonders zart auf Backen, Stirn, Nase, Mund, und er kniff die dunklen Augen zusammen und hielt das braune Gesicht hin und ließ sich die schwarzen Haare zausen. Und wieder half kein gutes Zureden, und wieder sträubte Anna sich mit Händen und Füßen, nachdem sie erst noch gedacht hatte, sie könnte Hanna abwenden, indem sie sie nicht erkannte. Aber Hanna ließ sich nicht täuschen, erkannte ihr Kind sofort und vergaß auch nicht, den silbernen Löffel wieder mitzunehmen, den Anna dem schönen Mann doch gerade erst geschenkt hatte.
Es war um diese Zeit, daß ein Brief gekommen war, ein langer Brief von Jakob, der den Bund lösen wollte, endgültig, nicht, weil er Elisabeth kennengelernt hatte, deswegen auch, aber nicht nur deswegen. Hanna zerriß den Brief und beschloß, so zu tun, als hätte sie ihn nicht erhalten. Hoffte, Jakob würde es nicht wagen, ihn ein zweites Mal zu schreiben. Saß aber fortan auf dem schwarzen Thron. Und Anna fühlte, daß es ihre Schuld war. Mußte große Schuld auf sich geladen haben, wußte nicht genau, was es gewesen war, hatte etwas getan oder etwas nicht getan, wußte nur, die Königin hatte sich abgewandt, und es war, als wäre es für alle Zeiten. Da ging die Prinzessin hinaus und pflückte Blumen, einen ganzen Strauß Seiwiederfroh, brachte der Trauerfrau den Buschen dar, ihr Herz zu erweichen und zu erfreuen. Es kehrte die Königin auch in ihren Leib zurück und erhob sich von dem schwarzen Thron, sank aber gleich darauf zurück, das Herz erweicht, doch nicht erfreut, konnte sie ihrem Kinde bloß traurig zulächeln. Da zog die Prinzessin bunte Kleider an, um vor der Königin zu tanzen, und hopste und sprang und tanzte den Lachdochmaltanz, bis die Königin ihren Kummer vergaß, von dem schwarzen Thron aufstand, ihr liebes Kind auf den Arm nahm und sich mit ihm auf den goldenen Thron setzte. Ein Herz und eine Seele, scherzten und kosten sie da, und die Königin sagte Huch und Hach und nicht so stürmisch. Im Hintergrund des Thronsaales aber stand die Königinmutter, groß und hager und mit einem Knoten im Nacken, und sang

das Lied von Mariechen – nein nein, wir wollen leben, wir beide, du und ich, deinem Vater seis vergeben, wie glücklich machst du mich.

Anna geweckt, in Unruhe und Durcheinander hinein. Nichts mehr an seinem Platz. Hastig angezogen von Hanna, während ein Mann kam und ging, die Treppe rauf und runterpolterte, Koffer und Bündel wegtrug – das auch? Das auch. In der Küche abgesetzt, unter Vronis ungeduldigem Blick – iß, trink. Hanna hin und her eilend, nervös hin und her. Der Traktor vor dem Haus. Vroni weinend, der Herr Pfarrer die Hände vor dem Bauch gefaltet. Marie hochaufgerichtet. Reichte erst der Vroni, dann dem Herrn Pfarrer die Hand. Anna gepackt und hochgehoben. Der Bauer schwang sich auf den Sitz. Der Traktor bebte und dröhnte, und Anna begriff, daß das Austreibung bedeutete, und fing an zu schreien und wollte runter und streckte die Arme nach Vroni aus. Half nichts. Anna schrie trotzdem weiter, schrie an gegen das Beben und Dröhnen und Hannas besänftigende Stimme. Hör auf, hör doch auf. Konnte nicht, wollte nicht, sah nichts, hörte nichts von dem Sommermorgen im Dorf, wollte nur runter. Dann mußt du bei Vroni bleiben. Und schluchzte ja – ja, bei Vroni bleiben. Half nichts. Sollte der Vroni winken und dem Herrn Pfarrer und konnte doch nur schreien, während das Haus sich langsam entfernte und der Bauer die Kappe abnahm und wieder aufsetzte.
Fremde Gegenden, fremde Menschen, fremde Sprache. Runter vom Traktor. Rauf auf ein Pferdefuhrwerk. Eisenbahn, zusammengepfercht mit vielen. Eingequetscht in der Enge und überall Beine. Schlafen irgendwo, in fremden Räumen, auf dem Boden, auf Strohsäcken. Bahnhöfe, Wartesäle, verstopfte Einstiege. Marie durch ein Abteilfenster geschoben, Kopf voran. Und überall Durcheinander, überall Menschen. Gedränge, Koffer, Bündel. Warten auf Bahnsteigen. Und jeden Morgen das Lager naß. Hanna über Annas Kopf hinweg trostlos zu Marie: Das Kind war doch schon trocken. Fremde Betten. Hanna machte Vorhaltungen. Anna wußte von nichts. Fremde Laken. Mußten ausgewaschen werden. Hanna ungehalten. Es hatte aber Anna doch gar nichts getan.

Dann ein Dorf. Und morgens kein Aufbruch. Häuser, die nicht mehr vorbeizogen. Kein Gedränge, keine Koffer, keine hastenden Beine. Häuser, Ecken, Gassen, die alle an ihrem Platz blieben. Nachts wieder in dasselbe Bett. Und Gesichter, die blieben. Und auf der Straße ein Soldat, der ging so leicht, so unbeschwert, erinnerte Anna an was, bei dem wollte sie sein, zu dem wollte sie hin, dem lief sie nach, holte ihn ein, lief neben ihm her, erzählte ihm was, faßte seine Hand, wunderbar, an seiner Hand zu gehen, Hanna vergessen, gab es nicht mehr, hatte es nie gegeben, nur die große warme Hand, konnte nichts mehr passieren. Drinnen im Haus dann, auf seinem Schoß, kaute Anna mit vollen Backen zufrieden ein Butterbrot, als Hanna einbrach. Es half nichts. Anna mußte runter von seinem Schoß, mußte mit, verließ, nun wieder an Hannas Hand, noch immer kauend bedauernd den Mann, das Haus.

Da, wo Großmutter, Mutter und Kind, vierzig Tage nach ihrem Auszug und zu der gleichen Morgenstunde, in der sie aufgebrochen waren, am Ziel ihrer Reise anlangten, war nicht das Gelobte Land, und es floß nicht Milch noch Honig. Stumpf vor Erschöpfung saßen sie, von ihren Koffern und Bündeln umgeben, im überfüllten Wartesaal des Wiesbadener Bahnhofs die Stunden ab, bis die alten Herzogs aufgestanden sein würden, Anna auf dem Schoß der Mutter schlafend, Marie in sich zusammengesunken, das Kinn auf der Brust, die Augen geschlossen, doch wach und hin und wieder den Kopf hebend, um auf die Uhr über dem Eingang zu schauen, Hanna trübe vor sich hin starrend, schmerzlich berührt von der Erinnerung an frühere Besuche in besseren Zeiten – wenn sie das Hannschen holen, muß erst einer von denen dran glauben, das Herz geduckt bei dem Gedanken an den Empfang, den die Alten ihr jetzt bereiten würden. Hatte ihre Ankunft nicht angekündigt, war einfach losgefahren, jetzt oder nie, vielleicht doch noch einen Fuß in das Tor zu setzen, Jakob zum Öffnen zu bewegen, obwohl Marie nach Berlin zurück wollte, die Helmstedter Straße ausgebombt, die Freunde weg, die Russen da, alles egal, Marie hatte störrisch auf Berlin bestanden, dann geh ich eben alleine, war nur vorübergehend und murrend mit nach Wiesbaden gekommen.

Die alte Anna war noch entsetzter, als Hanna erwartet hatte.

Jessesmaria, das Köbbsche is doch bei euch. So erfuhr Hanna, daß Jakob sich auf den Weg zu ihr gemacht hatte, ihr nahezulegen, einstweilen in den Bregenzer Bergen zu bleiben. Denn er hatte die Neue schon in sein Elternhaus gebracht, Elisabeth, der nach einer langen Wanderung mit schweren Rucksäcken, letzter Habe durch fremde Gegenden, besetztes Land, ebenso beklommen zumute gewesen war, als sie den beiden Alten in dem engen Flur befangen unter die Augen trat, ohne verbrieftes Recht, jedoch freundlich in die geheizte Küche gebeten, und sogar hatte wohnen dürfen in der Bäkkergasse, trotz der Leute, zwar nicht lange, wegen der Leute, aber lang genug, daß alle wußten und sich das Maul zerreißen würden, nun, da die Angestammte aufgetaucht war, der man doch auch die Tür nicht weisen konnte, nicht mit dem Kind.

Es jammerte die alte Anna, Jessesmaria, die Schande, und rettete sich, Jessesmaria, zu ihren Schwestern in ihr Heimatdorf im Westerwald, von dem sie einst ausgezogen war, als junges Mädchen, Posamenten zu verkaufen am Rhein entlang, bis nach Holland, und dann in der Kurstadt Wiesbaden in Stellung und dann vom Gärtner geschwängert und dann, Jessesmaria, die Schande, den Kindsvater geheiratet, den Schläger-Willem, und das Kind nach Bingen und Willem Sanitäter im Krieg und später Pfleger, Prinzen-Pfleger in Paris, einen gelähmten indischen sogar zwanzig Jahre lang, war weiß geworden und schlug nicht mehr, kochte für Hanna, Marie und Anna, das hatte er in Paris gelernt. Hanna spülte das Geschirr, und er erklärte, für die Nazis sei er nie gewesen. Und hoffte, sie würde bald verschwinden. Hanna trocknete ab und fragte nicht, warum er dann in der Partei gewesen war, hoffte auf die Rückkehr seines Sohnes und hütete sich, ihre Befriedigung zu zeigen, als Jakob, wieder daheim nach seiner vergeblichen Reise, grimmig von Vroni berichtete, die ihm den Auszug seiner Familie verkündet und dann die Tür vor der Nase zugeschlagen hatte.

Gestärkt durch den Glauben, kam die alte Anna aus ihrem Dorf zurück, es war ja der Bund, von keinem Priester gesegnet, kein wirklicher Bund gewesen.

Im Herbst ging der alte Wilhelm, auch ohne Rückhalt im

Glauben, dazu über, die Schwiegertochter wieder zu siezen und Frollein zu nennen. Als es Winter wurde, legte sich Marie in ihrem Hinterstübchen im Hause gegenüber, mit Mantel, Kopftuch und Handschuhen angetan, ins Bett und verbrachte ihre Tage mit dem Lesen von Liebesromanen. Es kam das Weihnachtsfest, das erste im Frieden, und Jakob wurde hart bedrängt von Hanna, bleib doch wenigstens an diesem Abend bei deiner Tochter, aber Elisabeth wartete in ihrem ungeheizten Zimmer. Es legte sich Opa Wilhelm in sein Bett, ich will mei Ruh, das große braune Ehebett mit den prallen weißen Kissen und den prallen weißen Federbetten, vor denen Anna den Kommdochraustanz aufführte, vergeblich. Und in der guten Stube brannte der Weihnachtsbaum. Es rieselte aber auch in dieser Nacht wie in allen vorangegangenen feucht und warm an Hanna herunter, und am Weihnachtsmorgen mußte das Laken wie immer schnell und heimlich ausgewaschen werden. Das Neue Jahr kam, und es mußte etwas geschehen. So ging das nicht weiter. Ein Arzt mußte helfen. Hanna ging mit dem Kind zum Elektrisieren. Auf dem Rückweg im Kinderwagen waren die Tränen schon wieder getrocknet. Aber in der Nacht rieselte es wieder. Das gibt es doch nicht, sagte der Arzt, als Hanna zum zweiten Male kam. Das wolln wir doch mal sehn. Danach hörte Anna auf, ins Bett zu pissen.

Standen alle unversehrt, die wilhelminischen Villen in der Waldstraße, mit ihren Erkern und Türmchen, Balkons und Wintergärten, alle unversehrt, bis auf eine, und selbst diese, eine Ausgebrannte, deren Betreten strengstens verboten war, hatte noch etwas von der Dünkelhaftigkeit einer abgetakelten alten Frau, die gerne darauf verweist, daß sie mal was Besseres war. Auf Abstand bedacht, standen sie jede für sich, anders als in der Bäckergasse, wo ein Haus sich gleichförmig steingrau ans andere reihte, standen, eine jede mit ihrem Vorgarten und ihrem Zaun, als könnte nichts ihnen etwas anhaben, als wären sie immer schon dagewesen und würden immer dableiben. Drinnen wohnten ehrbare Leute, ein jeder ließ Hab und Gut seines Nachbarn unangetastet, keiner hatte auf seinem Gewissen eines Menschen Sterben, alle konnten sie ruhig schlafen, und ihre Treppen waren stets sauber geputzt. Nie fiel ein lautes Wort, nichts von dem unflätigen Gekeife, das in der Bäckergasse zuweilen durchs Treppenhaus gellte, und keine Frau brauchte vor ihrem Mann aufs Klo zu flüchten. Es waren anständige Menschen, bei denen Hanna, Marie und Anna untergekommen waren, hochanständige, die so fest in sich ruhten wie ihre Häuser, daß Hanna und Marie es für besser hielten, nicht als Nasenmenschen aufzutreten. Dennoch wußten bald alle Bescheid, ja, mehr noch als das, und eines Tages, es war zur Erntezeit, und in den hinter den Häusern gelegenen Gärten brannten die Kartoffelfeuer, konnte die Witwe Köhler, die eines Hüftgebrechens halber kaum noch ausging, nicht länger widerstehen, wollte zu gerne mal jemanden sehen, der im Kazett gesessen hatte, und ließ sich von ihrer Tochter zu Marie führen. Marie wußte nicht, wie ihr geschah, und schaute fragend von einem zum andern, als Fräulein Köhler mit beiden Händen ihre Hand umfaßte und überschwenglich erklärte: Dies ist meine liebe Nachbarin – Frau Feuerbach.

Seit Annagedenken waren die Kartoffeln nicht genug gesalzen und Maries Salzfäßchen, eben noch auf dem Nachttisch, verschwunden. Wo ist mein Salz? Kein Salz an den Kartoffeln. Ich habe sie aber. Du hast sie nicht. Wo ist mein Salz? Marie stellte den Teller weg, nein, das kann ich nicht essen. Hanna merkte, ohne hinzusehen, daß Marie sich eine Zigarette anzündete. Rauch doch nicht auf leeren Magen. Ich rauche, wann ich will. Marie warf die Zöpfe über den Rücken und paffte patzig vor sich hin. Dir wird bloß wieder schlecht. Mir wird nicht schlecht. Marie sah, daß Anna die Salatsoße aus der Schale trank. Man trinkt die Salatsoße nicht aus der Schale. Laß sie nur, solange sie es bloß zu Hause macht. Sie macht es aber nicht bloß zu Hause. Doch, ich mache es bloß zu Hause. Und Hanna erklärte mit trostloser Miene, daß Herzog wieder nicht gezahlt hatte. Herzog war der Vater, und der Vater hatte nicht gezahlt. Hanna mußte von Haus zu Haus, Kinderbücher gegen Kartoffeln tauschen. An fremden Türen klopfen. Herzog zahlte nicht, und Hanna mußte von Hof zu Hof, Bauernkindern Englisch beibringen. Anna allein mit Marie. Unterwegs zur Toilette scheppernde Stimme im Rücken. Tür zuuu! Umgedreht, die Tür zugemacht. Von Maries Stimme verfolgt. Knall die Tür nicht so. Was fällt dir ein, die Tür so zu knallen. Mit Nesthäkchen auf der Toilette eingeschlossen. Auf dem Klodeckel sitzend, entrückt. Alles vergessen. Versunken. Aufgegangen im Nesthäkchen. Geläutert ins Zimmer zurückgekehrt, wo Marie ein spitzes Mäulchen machte. Massierst du mich ein bißchen? Mitleid heischende arme Seele. Roch nach alter Haut und Pisse. Hinter ihrem Bett der weiße Wandschrank – heilig. Unten alte Schuhe. Oben aber Schätze. Zwei oder drei Büchsen. Ananas. Spargel. Marie stöhnte in das Kissen hinein. Mit der freien Hand zog Anna langsam und geräuschlos eine Zigarette aus dem Päckchen auf ihrem Nachttisch. Die qualmte sie später, auf dem Toilettendeckel stehend, den Rauch aus der weit geöffneten Luke über das Dach hinwegblasend. Herzog zahlte nicht, und Hanna mußte Stunden geben. Nebenan. Durfte nicht gestört werden. Marie im Bett. Anna am Tisch. Sollte Hausaufgaben machen. Stell die Füße nicht so übereinander. Warum nicht? Ruiniert die Schuhe. Sitze aber wie ich will. Du freches Balg. Hole gleich den Klopfer. Hol ihn doch. Treib es nicht zu weit du. Einlochisimeima, Kahlotto, Kahlotto, einlochis. Marie mit dem Klopfer, im Nachthemd mit funkelnden Augen, mit dem Klopfer hoch erhoben. Warte, du unverschämtes Gör, du. Verfolgte Anna um den Tisch herum. Plötzlich riesengroß. Und flink. Holte Anna fast ein. Und Anna mußte schreien. Nein. Nicht. Hanna rettete. Vorwurfsvoll aus dem Nebenzimmer. Aber rettete. Marie mußte wieder ins Bett. Starrte Anna wütend an. Die Decke bis ans Kinn hochgezogen. Wortlos wütend. Anna verließ das Zimmer. Zog sich auf die Toilette zurück. Brannte Schreichhölzer ab, eines nach dem andern. Schaute zu, wie die Flamme sich langsam an dem Hölzchen entlangfraß. Im Bett lag ein magerer alter Vogel. Ganz zerzaust. Armes Tierchen. Anna auf dem Bettrand. Schmeichelnd. Mariechen schmollend. Mußte ein bißchen geärgert werden. An der Nase gezupft. Laß meine Nase in Ruhe. Mariechen schon fast wieder versöhnt. Anna konnte es wagen, die in das Kopfkissen geflüchtete Nase mit zwei Fingern zu verfolgen. Duhu! Gleich wird es mir zu bunt. Da

legte Anna ihren Kopf auf die Brust der Großmutter, und die Großmutter strich ihr übers Haar und nannte sie ein freches kleines Fräulein.
Später, viel später, nach langen Jahren, als aus dem Fräulein eine Frau geworden war, was es gar nicht schnell genug hatte werden können, hatte es doch geglaubt, es wäre dann niemandem mehr untertan und könnte sein eigenes Reich gründen, als dieses in Fräuleinstagen mit solcher Ungeduld erwartete goldene Zeitalter herangekommen, aus der Reichsgründung aber nichts geworden war, das Untertansein kein Ende genommen, sondern erst richtig angefangen hatte, Anna sich zwar nicht mehr aufs Klo zurückzuziehen brauchte, um alleine zu sein, dafür aber nach der Wonne eines eigenen Zimmers das Weh eines ungeteilten zur Genüge kennengelernt hatte und am Ende noch einmal herabgestiegen war in den Brunnen, aus dem sie gekommen, stieß sie unten, nach langem Umherirren durch stickige Schächte und feuchtkalte Höhlen, auf den wunderbar warmen Ofen, der die Großmutter einst gewesen war, den bullernden Ofen, in dem es anheimelnd prasselte und knackte, und manchmal auch, wenn der Wind durch den Schornstein in die Flammen fuhr, gewaltig toste, so daß man es mit der Angst bekommen konnte, aber doch wußte, es würde nichts geschehen, die Wärme genoß, wohlig schläfrig auf der Ofenbank, gedankenlos ein Holzscheit nachlegte, gedankenverloren ins Feuer schaute. Vorbei. War Anna also so töricht gewesen, das goldene Zeitalter herbeizusehnen, während sie in Wahrheit doch mittendrin lebte? Aber dann hörte sie wieder die scharfe Stimme der Großmutter, die von ihrem Bett aus nach ihrer Tochter in der Küche rief, Hanniii, und begriff überhaupt nichts mehr. Etwas stimmte nicht. Es stimmte etwas nicht, Anna wußte bloß nicht, was es war.

Tagaus tagein, in den Tag hinein, aus dem Tag heraus lebte Hanna in ihrem Scherbenhaufen. Es hatte eine Scheidungsverhandlung gegeben, da hatte sie die andere zum ersten und zum letzten Mal gesehen. Klein hatte *sie* dagestanden, viel kleiner, als Hanna sie sich vorgestellt hatte, und ganz und gar nicht in der Pose einer Siegerin. Hanna hatte sogar Mitleid empfunden, unwillkürliches Mitgefühl, als sie den Bauch sah unter dem schäbigen Mantel, den geschwollenen Bauch, in dem das Leben dämmerte, das den neuen Bund besiegeln sollte.

In aller Stille bereitete Jakob den Auszug aus dem Land seiner Väter vor. Eigentlich schon zu alt, zu dick, zu müde, um mit Kind und Kegel in ungewisse Fernen aufzubrechen, doch zermürbt von den Geistern der Vergangenheit, die nicht aufhörten, an seinem Tor zu rütteln und sein Gewissen zu mahnen, so daß er, im Hause selbst nicht minder geplagt von seiner Elisabeth, die bei jeder Erinnerung an den unseligen alten Bund eine schwere Migräne bekam, bald nicht mehr ein noch aus wußte. Endlich Ruhe zu finden, bereitete Jakob seine Flucht vor, in aller Heimlichkeit, denn er fürchtete sich sehr. Fürchtete Hannas Vorwürfe, Vorhaltungen, ihren Hinweis auf das Kind, das den Namen seiner Mutter trug, ihre sonstigen vernünftigen Einwände, du kannst doch kein Wort Englisch, ihre tonlose Stimme, ihr trostloses Gesicht, am meisten aber seine eigenen Ängste, die sie, das wußte er, nach und nach aus der Verbannung holen und anklagend vor ihn hinstellen würde.
Als sein Vorhaben ihr von einer mitleidigen oder boshaften Seele zugetragen wurde, stand der Tag der Abreise schon fest, so daß nichts mehr rückgängig zu machen war und er sich zwar ertappt, aber doch auch erleichtert fühlte und sich mit ihr im Café Maldaner verabredete, wo er ihr eine Puppe für das Kind in die Hand drückte und Schwarzwälder Kirschtorte bestellte. Unbehaglich saßen sie einander gegenüber und schwiegen, als die Kellnerin den Kuchen brachte. Daß Elisabeth auch noch kommen würde, sagte Jakob da, sagte es beiläufig, als hätte sich Hanna seit jenem Gerichtstag nicht beharrlich geweigert, die andere zu sehen, und eisern darauf bestanden, daß er seine Tochter in der Waldstraße besuchte und nicht mitnahm in die Wilhelminenstraße, *zu ihr*.
Wortlos stand Hanna auf. Ratlos schaute Jakob, stand ebenfalls auf – aber deine Schwarzwälder Kirschtorte. Wußte sonst nichts zu sagen, und wirklich zögerte Hanna, bedachte, ob sie erst den Kuchen essen und dann gehen sollte. Wollte *sie*

aber um keinen Preis sehen, nicht eingeholt werden von der Gegenwart, ahnte, daß das schöne, im Dunkel bewahrte Bild vergangener Zeiten von einem Augenblick zum andern verblassen und verschwinden würde, sobald das Licht des Tages dran käme, drängte sich mit der Puppe unter dem Arm zwischen den Tischen hindurch, und die Puppe sagte Mama.

Nachdem kein Platz mehr für sie war in der Alten Welt, siedelte Hanna sich in der Neuen an. Das harte Leben der Pioniere – Boden urbar machen, roden, pflanzen, bauen und das Land verteidigen gegen die Überfälle der Eingeborenen. Das beschwerliche Dasein in unwohnlicher, zuweilen gänzlich unbewohnbarer Behausung, das mühsame Geschäft der Unterwerfung mittels Drohungen, Versprechungen, Unnachgiebigkeit und Milde, die tätige Anteilnahme an den Sorgen und Nöten der Wilden – es war Hanna keine Ruhe mehr vergönnt. Immer wieder wurden einzelne aufsässig und zettelten Aufstände an, die selbst die Zahmsten und Lahmsten mitrissen, so daß plötzlich das ganze Land in Aufruhr war und Marie in ihrer Bettfestung kummervoll den Kopf schüttelte. Wie vom Teufel besessen. Und zwecks Austreibung eine tüchtige Tracht Prügel empfahl, eine Maßnahme, zu der Hanna sich jedoch nur im äußersten Notfall entschließen konnte. Meist genügte es, daß sie ihre Stellung als eiserne Dulderin behauptete. Nachdem sie sich eine Weile ausgetobt hatten, kamen die Eingeborenen von selber wieder zur Vernunft, der Aufstand mündete in Zerknirschtheit, die Aufsässigen erinnerten sich all der Wohltaten, die sie von Hanna empfangen, verstanden sich selber nicht mehr und begaben sich schleunigst wieder unter Schutz und Schirm der Landesmutter, die weise auf Strafgerichte verzichtete, eine Milde, die mit dankbarer Anhänglichkeit gelohnt wurde. Jetzt siehst du aus wie Jaköbchen. Zum Zeichen der Versöhnung durfte Anna in Hannas Bett und bedachte, in der molligen Wärme von Reue und Mitleid erfüllt, wie schwer die Mutter es doch hatte, so ganz ohne Mann. Hanna aber wehrte ab und erzählte von den Amazonen im fernen Amazonien, wie die Frauen ihre Männer nur einmal im Jahr zu sich ließen und dann wieder in den Urwald zurückschickten, und wie glücklich und zufrieden sie lebten, mit ihren Kindern, ohne Männer. Und Anna hörte zu, an die Mutter gekuschelt, den Blick auf die gegenüberliegende Wand, wo unter der gelben Brücke an dem blauen Flüßchen Waschfrauen ihre Wäsche wuschen, gebückt standen sie, und es sah so aus, als ob eine von ihnen auf etwas einschlug, oder auf jemanden, das war nicht genau zu erkennen – Anna schlief darüber ein.

X
Die Trommel

Anna wartete. Schaute auf den Ahornbaum draußen, nackt im Winter. Wartete und kratzte mit dem Finger an der abblätternden Farbe der Fensterbank herum. Laß das, sagte Marie von ihrem Bett aus. Anna öffnete das Fenster und beugte sich hinaus, weit hinaus, die leere Straße hinunterzuschauen in die Richtung, aus der er kommen mußte. Mach gefälligst das Fenster zu, sagte Marie von ihrem Bett aus. Anna sah etwas, hörte etwas, einen Motorradfahrer, schaute gespannt. Du, sagte Marie von ihrem Bett aus. Es zieht. Das Motorrad fuhr vorbei, und Anna schloß das Fenster und klopfte an den Hamsterkäfig. Der Hamster kam aus seinem Häuschen. Hatte die Backentaschen voll, voll mit Sonnenblumenkernen. Richtete sich auf, so daß Anna die nackten kleinen Vorderpfoten sehen konnte, witterte mit zuckender Nase, zitterndem Schnurrbart. Die Knopfaugen schauten Anna an, aber es war nichts darinnen zu lesen. Nicht, ob er raus wollte oder auf noch mehr Sonnenblumenkerne hoffte, nicht, ob überhaupt etwas vor sich ging in seinem Kopf. Anna stand und schaute, weil sie nichts Besseres zu tun hatte. Der Hamster hüpfte in seine Trommel und fing an zu laufen. Die Trommel drehte sich, der Hamster lief. Der Hamster lief schneller, die Trommel drehte sich schneller. Und immer schneller, so daß nichts mehr zu sehen war von den Speichen. Der Hamster hatte es jetzt eilig, wichtige Geschäfte, von denen Anna nichts wußte – gelangweilt stand sie da und schaute zu, wie der dumme Hamster lief und lief und nicht merkte, daß er gar nicht vom Fleck kam. Aber doch müde wurde und allmählich langsamer. Langsamer drehte sich die Trommel. Anna konnte schon wieder die Speichen sehen. Noch ein paar Umdrehungen, und die Trommel stand still. Der Hamster blieb noch einen Augenblick drinnen, sprang dann heraus, kletterte behende den Fliegendraht hoch und biß hinein.
Striche an der Wand, krakelige, in verschiedenen Abständen, einer über dem andern an der Wand neben der Tür. Tüchtig gewachsen bist du, mein Puppchen. Es fragte Marie nun nicht mehr nach dem Herzog von Windsor, und der Wagen, den Meisters gekauft hatten, froschgrün und mit einem Buckel, war schon lange durch einen neuen ersetzt worden. Auch las Mariechen nicht mehr *Heim und Welt*. Noch ein Strich, und

Meisters hatten einen Fernseher, und Marie las das *Grüne Blatt* und bedauerte Soraya. Noch einer, und Marie nahm regen Anteil an Farah Dibahs Hochzeit. Suchte jedoch nach wie vor das Kölnisch Wasser, das im Kulturbeutel, den Kulturbeutel, der im Bett sein sollte, das Portemonnaie, das unter dem Kopfkissen, die Wärmflasche, die auf dem Bauch sein sollte. Und nach wie vor machte sie Pscht, wenn vom Nasentum die Rede war. Nicht so laut. Meisters können dich hören. Und nach wie vor durfte Anna nicht an das Kainsmal rühren. Obwohl doch jetzt eine ganz andere Zeit war. Wirtschaftswunderzeit. Und Hanna keine Stunden mehr zu geben brauchte. Und Herzog zahlte. Und Hanna eine Rente bekam, die wiedergutmachte. Trotzdem nicht schlafen konnte. Sich sorgen mußte, immerzu sorgen. Sorgen mußte Hanna sich, weil Marie so viel rauchte, weil Anna so war, so ungebärdig geworden, so leichtsinnig, so wild. In tausend Ängsten schwebte Hanna, während Anna kühn und verwegen Wald und Flur durchstreifte. Aschenputtelte nicht mehr. Kletterte auf Bäume, stieg über Zäune, erging sich auf verbotenen Rasenflächen. Und Hanna machte sich Sorgen, furchtbare Sorgen, ließ aber gewähren, machte bloß Vorwürfe, sanfte Singsang-Vorwürfe. Es wollte sich Anna auch bessern, nicht mehr Anna sein, eine andere, wie das Veilchen im Moose, bescheiden, sittsam und – aber dann machte es doch Spaß, Marie in die entsetzten Augen zu sehen und zu sagen: Die Spießer können mich mal am Arsch lecken. Und dazu zu lachen, so laut, so ordinär, daß die Großmutter zusammenzuckte und der Mund der Mutter noch leidvoller wurde. Und dann auch noch zu rülpsen, rüpelhaft und rücksichtslos der Bürgerwelt rüde ins Gesicht zu rülpsen, denn Anna wollte einmal ein rechter Bürgerschreck werden und mußte rechtzeitig üben. Ein Tag würde kommen, da würde sie es den Spießern zeigen, was ne Harke ist. In aller Stille wartete Anna jedoch noch immer, nicht mehr auf Jakob – daß der nicht mehr kommen würde, wußte sie, auf einen anderen wartete Anna, auf den, der da kommen würde, sie zu erlösen von allem Übel, nicht nur vom Übel der Armut. Vielleicht heiratest du mal einen Millionär, sagte Hanna, sagte es scherzend, sagte es hoffnungsvoll. Aber Anna wollte was anderes. Einen, der groß und stark und unbeugsam war, ein Rebell, der in den Wäldern lebte, und wenn er sich auch tagelang nicht wusch, so störte das nicht, in der Vorstellung brauchte Anna nicht zu riechen. Nicht Jan. Nicht Josef. Nicht Jeremias. Floh aber enttäuscht aus dem Garten ihrer Träume, wenn einer ihr mit seinem irdischen Gestank zu nahe gekommen war. Wieder bloß ein Frosch und kein König. Sobald das häßliche Viech dann im Brunnen verschwunden war, stürzte Anna heulend zurück in den Schoß der Mutter, die immer da war, immer bereit aufzufangen, und ganz auf Annas Seite. Kein Fluß dazwischen. Keine schwankende Brücke zu überqueren. Die Liebsten kamen und gingen. Die Mutter blieb. Und tröstete. Ohne Leidensmiene. Und jedesmal war es, als ob eine Maske von Gesicht zu Gesicht gewandert wäre. Anna kleinlaut und dankbar und lieb. Bis die Dankbarkeit sich legte und Anna wieder raus wollte aus dem Schoß und aufsässig wurde und widerspenstig. Und ihre dreckige Lache anschlug. Jetzt siehst du aus wie Herzog.

XI
Der Turm der sündigen Frauen

Vor dem Haus hielt der Krankenwagen. Die Treppe hoch kamen zwei junge Pfleger mit pickligen Gesichtern, und Marie konnte ihre Strümpfe nicht finden. Dann saß sie gebeugt und klapprig dürr auf dem Bettrand und dann auf einem Küchenstuhl, und die Pfleger hoben an, und Anna trug den Koffer hinterher. Unten im Vestibül kam Frau Meister aus der Küche. Die Pfleger setzten den Stuhl ab. Marie hielt sich an den Kanten fest, und Frau Meister sagte: Also, Frau Feuerbach.

Marie war ganz langsam hinübergegangen. Die Kinder draußen, die rufen immer Frau Feuerbach, Frau Feuerbach. Das war im Sommer gewesen. Das Fenster offen und Marie allein im Zimmer, halb blind in ihrem Bett und nicht müde genug, um zu schlafen. Es war ein schöner, wolkenloser Sommer, und Hanna merkte nichts, und Anna merkte nichts und wurden erst aufmerksam, als das Wetter umschlug und Käthe Müffke ihr Schicksal beklagte und es gar nicht mehr aufhören wollte zu regnen und Marie sich die Ohren zuhielt, Tante Dorles Schelten nicht zu hören, unaussprechlicher Dinge wegen, die Miriam getan haben sollte, aber nicht getan haben wollte. Vergeblich beteuerte Marie, kein Ferkel zu sein, und wies nach draußen, wo es noch immer regnete. Die Sündflut, erklärte Marie und legte verschwörerisch einen Finger auf die Lippen. Meister ist doch Nationalsozialist. Und auf dem Flur marschierte SA auf, und durch die Türritzen strömte das Gas ein, und keiner hörte, wie sie draußen sangen, und wenn Miriam Mandelbaums Blut vom Messer spritzt, dann gehts noch mal so gut. Keiner glaubt mir. Keiner will mir glauben. Ich bin nicht verrückt, ich bin nur sehr verstört. Und Mariechen rang die Hände und horchte. Horchte nach innen, wo es mit Meisters Stimme höhnte. Ausziehen, sagt er, nackt ausziehen, an einen Baum hängen und auspeitschen. Das bilde ich mir nicht ein. Ich schwöre bei meinem Leben, daß er das gesagt hat. Angst, sagt er, Angst soll sie haben. Das Gesicht eingefallen, mit tiefhängenden Lidern und Händen, die haltsuchend in die Luft griffen, redete Marie unaufhaltsam herbei, was sie am meisten fürchtete. Abholen. Sie werden mich abholen. Vergeblich predigte Hanna Vernunft. Predigte tauben Ohren. Mochte ihrer Mutter zureden, soviel sie wollte, die Stimmen konnte sie ihr doch nicht ausreden – es war Marie mit Vernunft nicht beizukommen, das Zauberwort, das Allheilmittel versagte auch diesmal. Marie traute einfach ihren eigenen Ohren mehr als fremden. Frau Pachelke sagt, ich komme ins Irrenhaus. Und da werde ich abgespritzt. Abholen. Sie werden mich abholen. Kazett oder Klapsmühle – es war Marie alles eins geworden. Abholen. Sie werden mich abholen. Heute nacht. Und Anna sah die Tierangst in den Augen der Großmutter, nicht sofort, hielt erst noch für Zorn, was in dem Blick stand, den die Alte ihr zuwarf auf dem Weg von der Toilette zurück ins Bett, und erinnerte sich dann, daß sie das schon einmal gesehen hatte – Augen einer in die Enge getriebenen Katze. Abholen. Sie werden mich abholen. Und Anna wollte sie rütteln, ihre Großmutter, daß sie aufwachte aus dem Wahn, und wußte doch, daß das Gas, das sie roch, so wirklich war wie die Dünste aus Meisters Küche, und Marie sich nur etwas verspätet hatte mir ihrer Angst. Anna konnte das gut verstehen. Nur daß die Oma sich ausgerechnet von den Bullen Rettung erhoffte, das konnte Anna nicht verstehen. Immer wieder stürzte Marie ans Fenster, um nach der Polizei zu rufen. Da stand sie dann, auf bloßen Füßen, nur noch Haut und Knochen, das Nachthemd viel zu kurz, zerknittert und fleckig, schmuddelig die Bettjacke über dem Altersbuckel, das weiße Haar am Hinterkopf plattgedrückt, stützte sich mit einer Hand auf den Sims, beugte sich weit aus dem Fenster und rief nach der Polizei. Ließ sich, plötzlich ganz schwach, wieder ins Bett zurückführen, widerspruchslos wie ein Kind, nachdem es Unrechtes getan hat.

Das Irrenhaus lag in einem lieblichen Weinbauerndorf im Rheingau, zufälligerweise nur ein paar hundert Meter entfernt von der Kirche, in der Jakob den zweiten, diesmal von seinem Priester gesegneten Bund geschlossen hatte. Zwischen hübschen Fachwerkhäusern die von Rabatten gesäumte Zufahrt, Stiefmütterchen und Tulpen im Frühjahr, im Sommer rote Rosen und Fuchsien im Herbst. Nicht unbedingt düstere Backsteingebäude und liebevoll gepflegte Gartenanlagen mit

Bänken, auf denen, wenn die Sonne schien, immer einige Frauen saßen, die entweder blöde vor sich hinstierten oder so übertrieben freudig grüßten, daß Anna sofort befürchtete, in ein langes, schwieriges Gespräch gezogen zu werden, einmal hin und gleich wieder weg schaute und beschämt grüßend vorbeieilte. Sahen alle irgendwie gleich aus, ob jung oder alt, graue oder schwarze Strickjacke, langjährige Anstaltsinsassen, denen die Welt draußen als ein einziger Lustgarten erscheinen mußte, und jeder, der von dort kam, ein Günstling. Und immer war von irgendwo hinter den unzähligen vergitterten Fenstern irgendein Schreien zu hören.
Im Eingang die Büste des Gründers und Flure und Treppen, endlose Korridore mit unzähligen Nischen, in denen es grünte und blühte in unzähligen Töpfen, Alpenveilchen, Hyazinthen, Azaleen, Kakteen, Weihnachtskaktus, Osterkaktus, gesunde Pflanzen, satte Farben.
Da, wo Anna hinging, mußte man klingeln. Gewöhnlich öffnete Schwester Benedikta. Hinkende Nonne, Walküre in Schwarz, die fast so freudig grüßte wie die auf der Bank, auch gerne ein Schwätzchen halten, auch gerne mal mit jemandem von draußen reden wollte. Hinkte neben Anna her über den Flur, wo es nach Scheiße und Medizin roch, üppige Farne, zartes Zittergras, die Fenster geschlossen, die Griffe abgeschraubt. Es sollten Jahre vergehen und Mariechens Bett längst von einer andern besetzt sein, bis Anna erfuhr, warum die Nonne Benedikta das Bein nachzog. Als Übermütige einst von Übermütigen mit wehenden Schleiern und wehenden Gewändern in einem Essenswägelchen über die Flure gezogen, schneller und immer schneller übers gebohnerte Parkett, ausgelassen giggelnd um die Kurven, vorbei an der Hauskapelle, und dann war der Wagen umgekippt. Und Anna mußte Saal um Saal durchqueren, immer ging einer in den andern über, und überall die gleichen Betten, viele Betten, eins neben dem andern an der Wand entlang, und in der Mitte standen auch welche, und in jedem lag ein Wesen, ein halbtotes, manchmal mit einer Puppe im Arm, die Augen geschlossen oder offen, konnten sich nicht mehr rühren, mußten gefüttert werden, brabbelnde, lallende, sabbelnde Menschenwesen, und immer war die Frau mit dem bösen Blick auf dem Nacht-

stuhl sitzend mit einem Gürtel am Fußende ihres Bettes festgebunden und starrte haßerfüllt mit hervorquellenden grauen Augen.
Marie lag mit weit offenem Mund, so verfallen die Züge, daß Anna jedesmal dachte, sie ist tot, und ratlos am Bett stehenblieb, während die anderen Alten aus den anderen Betten heraus schauten und Schwester Theresa vorbeikam und mit ihrer schleppenden Stimme sagte: Da wird sich die Oma aber freuen. Die scheue Theresa, kaum Regungen in dem derben, faltigen Gesicht mit den wäßrig-blauen Augen, vom Haar nichts zu sehen, nur ein bißchen was von der Stirn, gestärkt und sehr weiß die Haube, die Theresa lange vor Annazeiten angetan hatte, als Gemeindeschwester, die einen Arzt liebte, der aber verheiratet war, und Anna fragte sich, warum sie wohl verrückt geworden war im Kloster, und konnte sich nicht vorstellen, daß diese Sanfte, Stille zuweilen immer noch von Tobsuchtsanfällen heimgesucht wurde und schleunigst entfernt werden mußte von den Betten der Alten, weggeschlossen, ruhiggestellt. Mariechen machte die Augen auf, und Anna sah, daß sie sie nicht erkannte, und sagte, ich bin es, aber Marie schaute weiter mit stechendem Blick, und dann lächelte sie plötzlich und sagte, was für eine Freude, bist du es wirklich, und sagte, ich hatte mich gerade so allein gefühlt. Anna nahm die Bettpfanne von dem Stuhl neben Maries Bett und setzte sich zu ihr und faßte nach ihrer Hand, und Marie sagte, was für eine Freude, ich kann es noch gar nicht glauben, und Schwester Theresa kam wieder vorbei und sagte, jetzt freust du dich aber, Oma Feuerbach, und Marie fragte, wer ist das, und Anna sagte, Schwester Theresa, und Marie sagte, ach so, und Anna hielt ihre dürre weiße Hand, wie ein alter Vogel leicht zitternd, in ihrer Hand. Es ist Frühling draußen, sagte Anna, und Marie fragte, wer ist draußen, und Anna brüllte, draußen ist Frühling, und Marie nickte, ach so, und sagte, ich möchte am liebsten aus meiner Haut springen, ich will raus aus dem Bett, wenn du mich nur mitnehmen könntest, und Anna zupfte sie an der Nase, und Marie sagte, laß meine Nase in Ruhe.

Ob es die Pillen waren oder die Pflege der Armen Dienstmägde Jesu Christi oder ob sie sich einfach zur Genüge ausgetobt hatte – es zog sich die Vergangenheit zurück, so unbemerkt, wie sie gekommen war, irgendwann war Marie wieder in der Gegenwart angelangt, wieder bei sich und ihrem Sinn für das, was ist, und das, was nicht ist, und machte in alter Weise Gebrauch von ihrer Stimme, um das, was nicht ist, zu verlangen. Anna hörte es schon auf dem Flur, dieses schrecklich energische Organ, unverkennbar Maries Stimme, von weit her, doch lauthals fordernd wie eh und je, so daß Anna, nachdem Schwester Assunta aufgeschlossen, sie eingelassen und wieder abgeschlossen hatte, am liebsten kehrtgemacht hätte, obwohl Marie doch Schwee-ster brüllte und weder Han-naaa noch An-naaa, am liebsten auf der Stelle kehrtgemacht hätte, um davonzulaufen, weit weg, so weit wie möglich, am besten bis ans Ende der Welt. Ich hab ihr gesagt, sie soll doch mal zur Abwechslung Herr Doktor rufen, erklärte Assunta, mit dem Schlüsselbund klappernd, aber sie hat gesagt, Schwester ist leichter. Und Anna verschob die Flucht auf später, dachte noch einmal sehnsüchtig an den Augenblick, da sie die Station, das Heim, die Anstalt verlassen haben würde, und bekundete dann ihre Teilnahme mit Benedikta, der boshafte Nonnen den vom Herrn Pfarrer gestifteten Kognak Marke Asbach Uralt in den Sylvesterwein gekippt hatten, so daß sie stinkblau geworden war und von Station getragen werden mußte, was alles Assunta mit klagender Stimme erzählte, während sie neben Anna hertrippelte, auf dem langen Weg durch die Säle, sehr klein und mit sehr glatter und sehr rosiger Haut und Bäckchen, die frisch wie Apfelblüten geblieben waren in den zweieinhalb Jahrzehnten, die sie die Station nun schon leitete, nachdem sie im Ersten Weltkrieg aus Anna unbekannten Gründen wahnsinnig geworden, dann im Heim wieder zu Verstand gekommen und den Armen Dienstmägden Jesu Christi beigetreten war.
Anna stand an Maries Bett und schaute auf die Großmutter hinunter, die sie nicht sah, sondern aus Leibeskräften nach der Schwee-ster brüllte und Assunta übertönte, die im Ton einer altgedienten hessischen Kindergartentante fragte: Ei wer ist denn da, Frau Feuerbach? Ei wir haben ja Besuch.

Marie mußte auf den Topf, und Assunta schob ihr die Bettpfanne unter. Marie mußte dann doch nicht, und Anna zerrte die Bettpfanne unter ihr hervor. Ich fühle mich hier lebendig begraben, sagte Mariechen und rülpste leise. Rülpste ununterbrochen, ohne es zu merken. Im Nebenbett lag eine Neue, und die Neue sang, oh du lieber Augustin, alles ist hien.

Marie hörte auf zu essen, fragte nicht mehr nach Hanna und Anna, erklärte, daß sie sterben würde, und wollte von Assunta wissen, ob sie dann in den Himmel käme. Was? fragte Assunta da. Sie wollen in den Himmel? Dort sind Sie doch ganz allein. In der Hölle haben Sie Gesellschaft. Doch Mariechen hatte keinen Sinn mehr für fromme Scherze. Ich will aber in den Himmel. Und Assunta erbarmte sich ihrer. Sie müssen bloß beten, Frau Feuerbach, beten Sie, lieber Gott, mach mich fromm, daß ich in den Himmel komm, und dann kommen Sie ganz bestimmt in den Himmel. Also betete Marie. Betete und wurde von einem letzten jüdischen Zweifel überkommen. Es gibt doch so viele Millionen Menschen. Wie soll der liebe Gott da noch Platz für mich haben? Konnte sich aber den Zweifel nicht mehr leisten, mußte beten und wandte sich als wahre Heidin in ihrer Not an die unmittelbar erkennbare Macht. Liebe Schwester, mach mich fromm, daß ich in den Himmel komm.

XII
Am Ende ruht Mariechen, wo die Vampire friedlich weiden

Es war aber ein Jochen gekommen, älter als Anna, viel älter, bereits mit gelichtetem Haar und doch nicht gesetzt, sondern wunderbar unseriös, mit einem Berg von Schulden und einem gewaltigen Rochus auf die Spießer, allerdings seinem eigenen und einem ganz anderen als Anna, aber das sollte sie erst später merken, lange nachdem das Kind, das sie in ihrem schon sichtbar gerundeten Leib mit sich herumtrug, seine ersten Schritte auf eigenen Beinen über den Erdboden getan hatte und als Tochter von Herrn und Frau Bürgerschreck sein Heil in der Bürgerwelt suchte.
Anna wohnte nicht mehr in der Waldstraße, war aber sofort gekommen, um Hanna beizustehen. Es war ein heißer, schwüler Tag, und draußen wurde die Straße aufgerissen. Mit geschlossenen Augen lag Hanna auf dem Bett. Die stickige Luft im Zimmer und das Dröhnen des Preßlufthammers. Anna hatte die beiden Plastiktüten mit Maries Sachen in der Küche abgestellt. Als erster rief der Bestattungsunternehmer an. Zunächst einmal herzliches Beileid. Der Mann war Geschäftsmann und hatte viel zu tun und keine Zeit, keine Zeit für weitere Fisematenten. Anna hielt den Telefonhörer ans Ohr und schaute die Mutter auf dem Bett an, während der Mann einen möglichst teuren Sarg, eine möglichst teure Ausstattung zu verkaufen suchte und abschließend erklärte, er wisse nicht genau, ob er noch am selben Tag in Wiesbaden abladen könne. Dann der Pfarrer. Dann Schwester Assunta, die von der Leiche und den Fliegen sprach. Sie liegt direkt neben der Küche. Von der Hitze sprach Assunta, von den vielen alten Leuten, die bei der Hitze sterben und davon, daß Marie am Vorabend noch Schwester gebrüllt hatte und es ihr, Assunta, jetzt ganz unheimlich sei, so still auf der Station, wie ausgestorben. Hanna auf dem Bett. Die geschlossenen Augen. Der furchtbare Schmerz um den Mund. Die Schwüle im Zimmer. Die Schwüle und das Schweigen. Hanna öffnete die Augen, sah dahin, wo Anna saß, fragte: Anna? Ja, sagte Anna, und Hanna sagte: ich dachte, du wärest draußen. Es war auf einmal so still im Zimmer. Ich dachte, du wärest nicht da. Hanna schloß die Augen wieder. Der Preßlufthammer, das Schweigen, die Schwüle. Hannas Mund so verzogen, daß Anna glaubte, sie weine, aufstand, sich zu ihr ans Bett setzte.

Aber Hanna weinte nicht. Öffnete die Augen und sprach mit gewöhnlicher Stimme. Später räumte Anna die beiden Plastiktüten mit Maries Sachen aus. Der längst verfallene Personalausweis. Das kleine weiße Transistorradio. Anna sah Marie, wie sie es in den dürren, bleichen Händen gehalten hatte. Am meisten schmerzte der lange, knochige Zeigefinger, der nach dem schwarzen Rädchen tastete. Unterwäsche. Ein Kleid und ein Morgenrock, die Anna nicht auseinanderfaltete, aber sofort erkannte. Der Anblick des Stoffes wie ein Schlag. Der eingerissene Kulturbeutel mit Briefen und Seife. Sandelholzseife von Roger &Gallet.

Im Warteraum Bänke, an die weißte Zettelchen geheftet waren. Anna mit ihrem dicken Bauch und Hanna am Arm ging herum und las Namen und Uhrzeiten. Hanna hilflos, konnte gar nichts mehr sehen. Jochen, eine Hand in der Hosentasche, zupfte an seinen Augenbrauen wie immer, wenn ihm etwas peinlich war. Feuerbach. Der Schock, Mariechens Namen dort zu lesen. Dort und auf einem maschinengetippten Anschlag an einer Säule in der Mitte. Trauerfeiern vor ihnen, Trauerfeiern nach ihnen. Der Sarg aus dem Abstellraum hochgeholt, die Feier, der Sarg in den Abstellraum zurückgebracht. Die Verbrennung erst später. Jochen hatte sich erkundigt. Marie sollte in zehn Tagen an die Reihe kommen. Das Grauen bei dem Gedanken an die faulende Großmutter und die Bewegung im Bauch. Ein Mädchen sollte es werden, bloß kein Junge, ein Mädchen und nach keiner Mutter, keinem Vater benannt. Die Türen der Trauerhalle wurden geöffnet. Menschen in Schwarz, Frauen mit verheulten Gesichtern. Eine Frau fegte den Boden der Halle, Blumen und Blätter vor sich her, aus der Halle heraus, in den Warteraum, frische, lebendige Blüten im allgemeinen Dreck. Und plötzlich war Annas Strauß von dem mit *Feuerbach* gekennzeichneten Platz verschwunden. Anna suchte unter den zusammengekehrten Blumen. Ein Strauß roter Nelken. Fast nur noch Stengel. Bis auf zwei alle Köpfe abgebrochen. Maries Lieblingsblumen. Schweigend saßen Hanna, Anna und Jochen auf ihrer Bank neben der offenen Trauerhalle und schauten zu, wie ein Leichenwärter die wenigen, für Marie bestimmten

Sträuße und Gestecke drinnen auf einem schwarzen Bord drapierte. Jochen zupfte an seinen Augenbrauen. Kein Mariechen mehr. Mariechen weg. Weg die Gutmütige und die charmante Herzenskühle, die Halsstarrige weg und die Gekränkte, weg die Gelangweilte, die Gereizte und die Großzügige, alle weg, auch die, die bis zuletzt noch wußte, was sich gehört, eine Frau betrinkt sich nicht, und bis zuletzt hatten die Armen Dienstmägde Jesu Christi nichts davon erfahren dürfen, daß es einmal eine Miriam Mandelbaum gegeben hatte und einen Grafensohn mit Namen Rüdiger. Lustlos zog der Leichenwärter einen Karren mit dem Sarg hinter sich her, an Hanna, Anna und Jochen vorbei, und sagte, kommen Sie bitte mit, sagte es, ohne sie anzuschauen, ohne stehenzubleiben.
Durch eine Tür des Verwaltungsgebäudes trat der Pfarrer auf. Die Orgel setzte ein. So nimm denn meine Hände. Der Pfarrer verneigte sich vor dem Sarg. Trat auf Hanna, Anna und Jochen zu und drückte einem jeden von ihnen schweigend die Hand. Junger Mann. Schwarzer Talar, blaue Augen, blonder Bart. Ein Leben ohne Frau Feuerbach. Er stand hinter einem schwarzen Pult und hatte ein schwarzes Kollegheft vor sich und schaute von Hanna zu Anna, ein kurzer Blick auf den gewölbten Bauch, zu Jochen und wieder zu Hanna, die mit angestrengt reglosem Gesicht zuhörte. Anna hatte plötzlich das Gefühl, daß es in ihrem Bauch weinte und weinte, obwohl es doch noch gar keine Tränen haben konnte und Mariechen gar nicht gekannt hatte.
Als erster nahm der Pfarrer ein Blümchen aus der Schale neben dem Loch mit dem halbversenkten Sarg. Anna begriff, daß irgendwo einer saß und die Zeremonie steuerte. Den Sarg mittels Knopfdruck ein Stück tiefer herabließ, nachdem jeder ein Blümchen darauf geworfen hatte. Noch einmal Halt. Und dann wieder ein Knopfdruck, und der Sarg verschwand. Als der Pfarrer ihnen zuletzt noch einmal schweigend die Hand drückte, hing Anna der Rotz aus der Nase, und sie hatte wieder mal kein Taschentuch dabei. Hanna hatte eines.

Wenn Jochen auch ein armer Mann war, so war er doch reicher als mancher andere, und das nicht nur an Gaben des Geistes. Andere besaßen keine Frau oder bloß eine, und dann vielleicht noch eine alte und häßliche – er aber hatte gleich zwei, was ihn, obwohl er für sich alleine auch schon ein großer Mann war, durchaus erhob und bloß lästig wurde, wenn ihn nach einer dritten gelüstete und dann nicht nur eine, sondern eben zwei eifersüchtig waren. Die eine machte eine Szene, die andere redete ihm witzelnd ins Gewissen, doch beklagte er sein Los nicht, paßte einfach das nächste Mal besser auf, daß sie ihn nicht erwischten, und verwandte viel Charme an die Schwiegermutter, hatte sie auch wirklich gerne, weil sie so anders war als seine Mutter und keine Spießerin, die rote Johanna, die seinem Charme immer wieder erlag, mochte sie sich noch so sehr über ihn geärgert haben, sie hatte nun mal eine kleine Schwäche für ihn und verfiel zuweilen sogar in ein herbes Flirten, und wenn Jochen auch nur die jungen Täubchen liebte mit den zarten Knöchelchen, so kostete es ihn doch nichts, die Federn zu spreizen vor der Schwiegermama, die so umgänglich war, wie er es sich nur wünschen konnte, und ihm beistand, wenn seine Frau es ihm schwermachte, es war Anna doch noch ein rechter Kindskopf, sie beide aber schon groß und vernünftig, Seite an Seite, wenn die kleine Madam ausfällig wurde, gemeinsam stark und wankten und wichen nicht, so daß Anna ebenfalls mit zweien verheiratet war, und dabei nicht etwa eifersüchtig, im Gegenteil, freute sich, daß die beiden sich so gut verstanden, hätte Jochen gern noch mehr geteilt mit der Mutter, die doch so allein war und nun schon so lange ohne Mann, und wußte genau, konnte vollkommen sicher sein, daß, wenn in ihrer Ehe ein Sturm aufkam und hohe See war, Hanna immer da war und immer da sein würde als rettender Hafen, und da die See oft hochging, lief sie auch oft ein in ihren Hafen, dümpelte im ruhigen Wasser, bis der Sturm sich gelegt hatte, und lief dann wieder aus, in ihre ozeanische Freiheit, wo sie, ohne ermahnt zu werden, unflätig rülpsen konnte, dreckig lachen, bis mittags schlafen und in die Nacht hinein saufen, mit Gesinnungsgenossen, Freunden ihres Mannes, die ebenso verschuldet, aber nicht ganz so reich an Gaben des Geistes wa-

ren, und meist etwas bravere Frauchen besaßen, so daß Anna ihre Rolle als Enfant terrible voll ausspielen konnte und sich nur manchmal wunderte, warum kein Ritter kam, ihr mit Zartsinn den Hof zu machen, die Hoffnung jedoch nicht aufgab, auf den, der da kommen würde, sie zu erlösen von allem Übel, ungeachtet ihres dicken Bauches, von dem sie sich durchaus nicht beeinträchtigen lassen wollte. Mitten in der Nacht mußte sie Jochen forsch vormachen, wie man das verschlossene Tor zum Kurpark überklettert, und dann erleben, wie ihr Mann, ohne Bauch, doch nicht so gelenkig, noch auf der Straßenseite runterfiel, sich ein Bein brach und nicht mitkommen konnte, als es soweit war.
Zwei Wochen waren vergangen, seidem Mariechen den Morgenkaffee wieder ausgespuckt, die Augen verdreht und sich ein letztes Mal aufgebäumt hatte. Das Wetter war umgeschlagen, vorbei die schwüle Hitze, es war kalt und regnerisch geworden. Schweigend gingen Hanna und Anna Arm in Arm durch das Friedhofstor und standen plötzlich vor einem Mann, der schwarz gekleidet war und schwarze Augen hatte und einen schwarzen Regenschirm.
Anna begriff nicht gleich, daß dieser Mann etwas mit ihnen zu tun hatte, und begriff erst später, zu spät, daß die weit geöffnete Trauerhalle mit den vielen brennenden Kerzen für sie bestimmt war, zum Abschiednehmen. Der Mann trat auf sie zu. Sie sind nur zwei? Schäbig standen Mutter und Tochter vor ihm, dem Feierlichen, Hanna im braunen Regenmantel über abgetragenen schwarzen Hosen, die unten umgekrempelt waren, damit sie nicht darüber stolperte, Anna mit einer Windjacke über dem Umstandskleid, unpassenden Stiefeln und unpassendem Kopftuch. Wollen wir anfangen? fragte der Mann, und Anna begriff endlich, daß er ihretwegen da war. Ich mache die Zeremonie so wie immer, ja? sagte er. Hanna schwieg, und Anna sagte ja, obwohl sie nicht wußte, wie es wie immer war. Der Mann klappte seinen Regenschirm zu und schritt langsam durch den Mittelgang der Trauerhalle. Da erst begriff Anna, daß das, was da auf der schwarzen Säule stand, die Urne mit Mariechens Asche war, konnte aber nichts mehr einwenden, nichts mehr aufhalten – die Zeremonie war im Gange, der Mann hatte sich schon verwandelt. Als

er vor der Urne stehenblieb und sich verneigte, war aus dem eben noch ganz alltäglichen, wenn auch schwarz gekleideten Menschen ein Besonderer geworden, der mit genau bemessenen Bewegungen eine feierliche Kulthandlung ausführte. Er legte ein schwarzes Tuch über die Urne, nahm sie von der Säule und kam ernsten Gesichtes, ohne Hanna und Anna anzusehen, langsam den Gang hoch. Den Regenschirm hatte er über den Arm gehängt. Draußen, wo Hanna und Anna wie angewachsen standen und ihm entgegensahen, ließ er mit der freien Hand geschickt den Schirm aufschnappen und schritt die Allee hinunter, so feierlich, wie ein Kind, das Beerdigung spielt, und so geübt, daß Hanna und Anna, die zum ersten Mal mitmachten, Mühe hatten, sich seinem Gang anzupassen. Still war es in Annas Bauch, totenstill, es wollte ihr nur etwas die Kehle hochsteigen. Was der Mann da vorne mit einer Hand vor sich hertrug, war doch eben noch Mariechen gewesen, Öhmchen mit den großen dunklen Augen, die liebevoll blicken konnten, kokett oder traurigbraun oder schwarzfunkelnd, wenn sie wütend war und kein Gesicht mehr hatte, nur noch diese Augen. Es war ein langer Weg, doch nicht lang genug, und wenn sie Tage und Tage so gegangen und Jahre geworden wären aus den Tagen, so hätte Anna doch nicht begriffen, wieso das Öhmchen nach einer Ewigkeit in ein und demselben Bett an ein und derselben Stelle in ein und demselben Zimmer nun plötzlich in das Ding unter dem schwarzen Tuch in der fremden Hand da vorne paßte und nicht mehr hungerbrüllte und nicht mehr befriedet zu werden brauchte mit Thunfisch und Kaviar, Marzipan und Schabefleisch.
Das Grab war kein Grab, nur ein zylindrisches Loch, nicht sehr tief, mit einem Häufchen Erde daneben. Der Totengräber klappte den Schirm zu, den Zylinder ab und ließ die Urne in das Loch sinken. Dann verneigte er sich und ging ein paar Schritte den Weg hoch. Anna starrte in das Loch auf die Urne und las wieder und wieder, immer wieder stumpfsinnig das gleiche, den Namen, das Geburts- und das Todesdatum und hätte gerne begriffen, wie alles so gekommen war, und hatte das Gefühl, es konnte nicht mit rechten Dingen zugegangen sein.
Schweigend standen Mutter und Tochter. Schließlich flüsterte

Hanna: Wo ist er denn hingegangen? Anna flüsterte zurück: Den Weg runter. Der Totengräber ließ sie nicht lange allein, kam allzubald zurück, schob Anna eine Schale mit sandiger Erde hin, in der eine winzige Schaufel mit einem langen Stiel steckte. Anna führte die Hand der Mutter. Etwas Erde fiel auf die Urne. Dann nahm Anna die Schaufel. Kippte ein Häufchen ums andere ins Loch, bis die Mutter flüsterte: Nicht so viel. Der Totengräber kam mit einer großen Schippe, bald war die Urne nicht mehr zu sehen, der Name verschwunden, und nach noch ein paar Schippen voll war das Loch geschlossen. Anna steckte ihm die fünf Mark in die Tasche, die Hanna ihr für ihn gegeben hatte. Anna fand, daß es wenig war, und dachte, er würde auch finden, daß es wenig war. Einen Augenblick noch standen Hanna und Anna vor der mit der Schippe geglätteten Erde mit den welken Blumen von der Totenfeier drauf, und das aus dem schwarzen Bock und schwarzen Schaf hervorgegangene Schäfchen drinnen spürte das Beben und wußte nicht, wie ihm geschah. Ich kann nicht mehr stehen, sagte Hanna. Anna nahm den Arm der Mutter und führte sie fort. Es hatte aufgehört zu regnen. An manchen Stellen war die Wolkendecke schon wieder aufgerissen.

Katja Behrens

Im Wasser tanzen

Ein Erzählzyklus

Band 11137

Der Titel dieses Erzählzyklus bezieht sich auf ein Detail im ›Im Garten der Lüste‹ von Hieronymus Bosch: Adam und Eva im Wasser tanzend, der Lust hingegeben, so als tanzten sie einen Tango, gewalttätig in der Gebärde, ängstlich im Blick, die Füße nicht auf dem Erdboden, sondern im Wasser. Das Wasser als Inbegriff alles Lebendigen, als eine ebenso elementare wie symbolische Substanz zu begreifen und erzählerisch zu nutzen, diesem Grundeinfall verdanken sich die hier versammelten Reise-, Abenteuer- und Liebesgeschichten. Von Reisen auf dem Meer oder gefährlichen Flußfahrten, von unerwarteten Begegnungen, vom Abschied, vom Unterwegssein handeln diese Erzählungen, in denen das Wasser als eine elementare Kraft erscheint, die Leben gibt oder nimmt, Menschen voneinander trennt oder zusammenführt. Dem vertrauten Anblick des Wassers als Fluß, Meer oder See, als Wolke, Regen, Eis oder Schnee hat Katja Behrens die unheimlichen und dunklen Gewalten des Elements hinzugefügt, so in der Geschichte ›Der Regen‹, einer modernen Sintflut-Phantasie. Katja Behrens erzählt Lebensgeschichten, in denen Gegenwart und Erinnertes, Fremdes und Vertrautes, Ersehntes und Unerwartetes kunstvoll ineinander greifen.

Fischer Taschenbuch Verlag

fi 1565 / 2

Katja Behrens

Salomo und die anderen

Jüdische Geschichten

191 Seiten. Leinen

Arthur Mayer war Arzt, ein uneigennütziger und deshalb sehr verehrter Helfer seiner Mitbürger in der deutschen Gemeinde S. – aber er war auch Jude und wurde deshalb in Auschwitz ermordet. Von einer Woche auf die andere mied man seine Praxis, vergaß, ihn auf der Straße zu grüßen, und keiner rührte auch nur eine Hand, als er nach Frankreich fliehen mußte, wo er während des Krieges mit seiner Frau von deutschen Soldaten gestellt und »abgeholt« wurde. Unter anderem von Arthur Mayers Leben erzählt Katja Behrens in ihrem neuen Prosaband. Er umfaßt sieben Geschichten, die von jüdischen Schicksalen erzählen. Sie richtet ihren Blick nicht so sehr auf das Geschehene als vielmehr auf die Gegenwart. Sie zeigt, mit wieviel Verständnis die Täter heute rechnen können und mit wie wenig Mitgefühl die Opfer. Katja Behrens schreibt nüchtern, unsentimental und präzise. Es geht ihr nicht darum, Mitleid zu heischen, sondern sie lotet mit literarischen Mitteln eine nach wie vor spannungsgeladene soziale Situation in unserem Land aus. Alle Erzählungen haben eines gemeinsam: Sie zeigen, daß Täter oder Opfer gleichermaßen von der Vergangenheit eingeholt werden können, wenn sie sich ihr nicht rechtzeitig stellen.

S. Fischer

fi 1563 / 1